ROMANCERO GITANO

Austral Singular

FEDERICO GARCÍA LORCA

ROMANCERO GITANO

Introducción

Esperanza Ortega

ESPASA

Esta edición dispone de recursos pedagógicos en www.planetalector.com

© Herederos de Federico García Lorca, 1928, 2006
© Espasa Libros, S.L.U., 2011
    Avinguda Diagonal, 662, 6.ª planta. 08034 Barcelona (España)
    www.espasa.com
    www.planetadelibros.com

Diseño de la colección: Austral / Área Editorial Grupo Planeta
Ilustración de la cubierta: Shutterstock
Primera edición: 19-IV-1972
Primera edición en Austral: marzo de 2011
Primera edición en esta presentación: febrero de 2016
Segunda impresión: junio de 2017
Tercera impresión: octubre de 2018
Cuarta impresión: febrero de 2019
Quinta impresión : febrero de 2020
Sexta impresión: marzo de 2021

Depósito legal: B. 29.252-2015
ISBN: 978-84-670-4687-8
Impresión y encuadernación: EGEDSA
Printed in Spain - Impreso en España

Biografía

Federico García Lorca (Fuente Vaqueros, 1898 - Víznar, 1936), hijo de un rico propietario y de una maestra, vivió una infancia rural a la que sumó una completa formación. Se trasladó a Madrid, donde se alojó en la Residencia de Estudiantes y conoció a sus compañeros de generación y a muchas figuras del panorama artístico, como Salvador Dalí y Luis Buñuel. En este ambiente conoce las Vanguardias, pero su personal sensibilidad sobrepasa las modas y triunfa definitivamente con su emblemático *Romancero gitano*. Tras vivir una enriquecedora temporada en Cuba y Nueva York (el impacto de esta ciudad da lugar a *Poeta en Nueva York*), vuelve a España. Durante la República, dirige la compañía La Barraca, grupo teatral universitario con el que llevó el teatro clásico por todos los rincones de España. En 1933 visita Buenos Aires, donde sus dramas obtienen gran éxito. De regreso, Lorca, que es ya poeta de éxito, manifiesta públicamente sus ideas de izquierdas; este hecho lo pone en el punto de mira de los nacionales, que lo asesinan nada más estallar la guerra civil, dos meses después de terminar *La casa de Bernarda Alba*. Otras obras destacadas del autor son *La zapatera prodigiosa*, *Bodas de sangre*, *Doña Rosita la soltera o El lenguaje de las flores*, *Mariana Pineda* y *El público*, todas ellas publicadas en Austral.

ÍNDICE

ROMANCERO GITANO

TRES ROMANCES HISTÓRICOS

INTRODUCCIÓN

De todos es sabido el relieve de la figura de Federico García Lorca dentro del amplio panorama de la Literatura Española del siglo XX. Comparado con Lope de Vega, quien también combinó en su obra la poesía y el teatro, Lorca posee ese don especial que atrae a todos, tanto al amante de lo popular como al admirador de lo culto, al conservador de lo clásico como al que gusta de la osadía vanguardista.

Lorca poseía lo que los andaluces llaman «el duende», esa capacidad para captar la gracia y la belleza y transformarla en materia artística. Decidió expresar ese duende por medio de la palabra, como podía haberlo hecho en la pintura o en la música, para las que estaba dotado. Y entre todos sus libros de poemas no cabe duda de que es el ROMANCERO GITANO el más popular y el que se sitúa en el límite que divide su obra juvenil y de madurez. Por eso acometemos el estudio de este libro con respeto, conscientes de que nos hallamos ante una cumbre lo suficientemente elevada como para no intentar abarcar por completo el paisaje que desde ella se divisa. Trataremos de dirigir la mirada del lector hacia los puntos que la crítica ha estudiado con más detenimiento, sin olvidar, no obstante, que ningún comentario agota ese poso de misterio que singulariza la obra de cualquier buen poeta.

FEDERICO GARCÍA LORCA Y SU TIEMPO

El año 1898 los españoles se enfrentaron con una mezcla de perplejidad y amargura a la pérdida definitiva de las últimas colonias de América, Cuba y Filipinas. Esta fecha sirvió para singularizar a un grupo de escritores, la Generación del 98, entre los que se contaban Unamuno, Pío Baroja, Antonio Machado, etc. El 5 de julio de 1898, precisamente, nacía Federico García Lorca en Fuentevaqueros, un pueblo de la vega de Granada. La vida y muerte de este poeta van a estar marcadas, en mayor o menor medida, por los acontecimientos históricos y las convulsiones político-sociales de nuestro país: el Desastre del 98, la Primera Guerra Mundial, la Dictadura de Primo de Rivera, la proclamación de la Segunda República y la guerra civil.

Hasta 1909, su infancia transcurre en Fuentevaqueros en un ambiente campesino, con la gente del pueblo, aunque sus padres disfrutaran de una buena situación económica. En 1914, cuando comienza la Guerra europea, Lorca tenía dieciséis años y estudiaba bachillerato en Granada, en el colegio del Sagrado Corazón.

La Primera Guerra Mundial (1914-18) repercutió decisivamente en la situación político-social. La postura de neutralidad adoptada por España, aunque parezca un contrasentido, agudizó las tensiones sociales: sirvió para que la oligarquía se enriqueciera con las exportaciones a los países en guerra y las clases trabajadoras se empobrecieran aún más a causa de la subida de los precios. Si a esto unimos la sangría económica que supusieron más tarde las guerras que España mantuvo con Marruecos, se puede comprender con facilidad la causa de que cada día fuera más grande el descontento de las clases populares. En 1917, coincidiendo con la Revolución rusa, estalló en España la Huelga General, que fue reprimida con enorme dureza.

Un período tan complicado en el plano político y económico fue paradójicamente muy rico en la faceta artística y cultural. La generación llamada *Novecentista,* a la que pertenecían escritores de la talla de Ortega y Gasset y Juan Ramón Jiménez, estaba en ese momento en plena producción. Una nueva savia, la de los jóvenes vanguardistas, iba a incidir con entusiasmo en los años 20 sobre este panorama ya de por sí abierto a las innovaciones.

Precisamente en 1917, el año de la Huelga General, Federico García Lorca, muy joven todavía, realizó un viaje por Castilla del que dejará constancia en su primer libro, *Impresiones y paisajes,* publicado en 1918. Fue también en ese mismo año cuando el poeta inició su amistad con Manuel de Falla, al que siempre consideró su maestro y que tanto influyó en su formación artística y humana. En 1918, al finalizar la Guerra Mundial, Lorca se trasladó a Madrid para iniciar sus estudios universitarios, ya con el empeño de hacerse escritor. Ingresó entonces en la Residencia de Estudiantes de la Institución Libre de Enseñanza en donde había un ambiente intelectual vivísimo. Allí escribió su primera obra teatral, *El maleficio de la mariposa,* que estrenaría un año después.

En contraste con el florecimiento cultural, la situación política siguió agravándose hasta que el rey Alfonso XIII, agobiado por tantos problemas, adoptó la decisión arriesgada de llamar al general Primo de Rivera y proclamar la Dictadura en 1923. Primo de Rivera solucionó el problema de Marruecos y acometió una brillante política de obras públicas, pero fracasó en dos frentes: los intelectuales y las clases trabajadoras. La supresión de las libertades enfrentó al general con una minoría de intelectuales que contaba con un gran arraigo social. El destierro de Unamuno y el encarcelamiento de Valle-Inclán, por citar a dos de los escritores más influyentes del momento, se volvieron en contra del dictador, aunque lo que precipitó la caída de Primo de Rivera fue la gran crisis financiera que repercutió en el desarrollo económico. El fin de la dictadura supuso el fin de la monarquía parlamentaria. En 1931 el electorado urbano se manifestó masivamente a favor de la República, a la que consideraba como la única esperanza de cambio y recuperación.

Durante los años de la dictadura, Federico García Lorca continuó sus estudios en Madrid, en la Residencia de Estudiantes, desde 1919 hasta 1928. Allí tomó contacto con otros jóvenes como Dalí, Buñuel, Emilio Prados, etc. Fue en sus años de residente cuando escribió su ROMANCERO GITANO, publicado en 1928, pero cuya elaboración comenzó mucho antes, alrededor de 1923. El año anterior a la publicación del ROMANCERO GITANO, en 1927, celebró en Sevilla, en compañía de otros poetas, el tercer centenario de Luis de Góngora, poeta menospreciado por la cultura oficial. Es alrededor de estas celebraciones cuando se constituye la llamada Generación del 27, a la que Federico García Lorca pertenecía. Fueron años de gran agitación intelectual, marcados por los proyectos y las ilusiones. Al mismo tiempo que aparecía el ROMANCERO GITANO, en 1928, Lorca fundaba la revista *Gallo* en Granada.

Alrededor de 1929, sin embargo, el poeta sufre una crisis sentimental muy seria y, concluidos sus años de estudiante, decide partir para Estados Unidos, más concretamente a la Universidad de Columbia. El impacto que supuso para él el contacto con la civilización norteamericana daría como fruto los poemas de un nuevo libro, *Poeta en Nueva York,* que no será publicado hasta después de su muerte. Cuando Lorca regresa de Estados Unidos, España se prepara para recibir un nuevo sistema político: la República.

El primer gobierno de la Segunda República (1931-36) fue presidido por Azaña, quien emprendió la reforma del ejército y la reforma agraria, a la vez que proclamaba la libertad religiosa, en su intento de transformar a España en un estado laico y moderno. Estos afanes chocaron con los sectores más conservadores y, dos años más tarde, la CEDA, coalición de derechas, sucedió en el poder a republicanos y socialistas. Gil Robles, que dirigía la CEDA, dio marcha atrás a las reformas y provocó un malestar social cada vez más profundo. La violencia y la crispación fueron los protagonistas tanto en el parlamento como en la calle. En 1936, todas las fuerzas populares, incluso el anarquismo libertario, se unieron en la coalición del

Frente Popular, que ganó las últimas elecciones de la República. Los sectores derechistas, decepcionados ante su fracaso electoral, se vieron atraídos entonces por las nuevas soluciones totalitarias que proponía el fascismo europeo. Algunos generales descontentos, apoyados por los movimientos falangistas y tradicionalistas, protagonizaron el levantamiento militar que dio origen a la Guerra Civil española, larga y sangrienta.

En el plano cultural, los seis años que duró la República fueron muy fructíferos, tanto que esta etapa ha sido denominada la Edad de Plata de nuestra literatura. En aquel momento coincidieron en España tres generaciones literarias: la Generación del 98, la Generación Novecentista y la Generación del 27, sin olvidar la figura singularísima de Gómez de la Serna, que no se abscribía a ninguno de estos grupos literarios. El mismo año de la proclamación de la República, Lorca, ya de vuelta de su estancia en Estados Unidos, viajó a Galicia, y fruto de ese viaje serían sus *Seis poemas galegos*. Durante la República llegó su éxito como dramaturgo y, como consecuencia de ello, su ascensión a figura pública por todos admirada. Las obras de teatro fueron un éxito de crítica y de público, representadas por las mejores actrices del momento, como Margarita Xirgu o Lola Membrives. En los dos primeros años de la República se estrenaron sus obras dramáticas más importantes, *Bodas de sangre, La zapatera prodigiosa, Doña Rosita la soltera* y *Yerma*. Lorca realiza lecturas de poemas, da conferencias memorables, es objeto de homenajes en España e Hispanoamérica...

Un episodio trágico impresionará vivamente al poeta en 1934, la cogida y la muerte de su amigo el torero Ignacio Sánchez Mejías. Este suceso impulsará a Lorca a escribir una de sus obras más significativas y una de las elegías más impresionantes de nuestra literatura: *Llanto por Ignacio Sánchez Mejías*.

García Lorca ha alcanzado la popularidad, es un personaje admirado no sólo por los amantes de la literatura, sino también por todos aquellos que valoran el éxito social: concede entrevistas, firma manifiestos a favor de la República... La envidia, sin embargo, acompaña ese ascenso en la escala social, sobre todo entre los que difieren ideológicamente de las posturas del poeta.

En los primeros meses de 1936 termina *La casa de Bernarda Alba* y el 15 de julio de ese mismo año lee a sus amigos la obra en privado, un día antes de marchar a Granada. José Bergamín le despide en la estación de Madrid. Será el último de sus amigos que le vea con vida, porque tres días después de esa lectura se produjo el pronunciamiento del general Franco.

Federico García Lorca fue asesinado en Granada el 18 de agosto de 1936, ante la impotencia de sus familiares y algunos amigos. Su muerte vino a confirmar el destino trágico tantas veces anticipado en su poesía. En una conferencia que lleva por título *Juego y teoría del duende,* Lorca había afirmado: «Un muerto en España está más vivo como muerto que en ningún sitio del mundo: hiere su perfil como el filo de una navaja barbera».

Este perfil sigue arañando la corteza de la indiferencia y es el que ha entrelazado de forma definitiva la obra y la muerte de este gran poeta, símbolo del destino desgraciado de tantos españoles.

La personalidad de Lorca

Si algo llama la atención en la figura de Federico García Lorca es esa capacidad de seducción que todos los que le conocieron celebraban, esa gracia indefinible que en el ambiente flamenco llaman «el duende»: un espíritu singular, una especie de *don* que aboca a quien lo posee al acierto en cualquier faceta de la vida o del arte. Lorca poseía el don de la música por herencia familiar: desde su bisabuelo, que ya destacaba como buen guitarrista, pasando por otros miembros más o menos cercanos de su familia. Manuel de Falla manifestó su admiración por su capacidad improvisadora. Reconocía que si

Lorca se hubiera dedicado a la música con disciplina, hubiera llegado a ser un magnífico intérprete. Si a esto añadimos el encanto y la originalidad de sus dibujos y su indudable talento teatral, deberíamos concluir que su nombre seguiría recordándose aunque no hubiera escrito nunca un poema.

Todo ello quizá fuera consecuencia de que Lorca había tenido una infancia feliz. Los que le conocieron aseguran que fue un niño querido y protegido no sólo por sus padres, sino también por todos los que le trataron: otros familiares, maestros, criadas, etc. Entre estas últimas destaca Dolores *La Colorina,* una muchacha alegre y pintoresca que fue su maestra en multitud de juegos y su estrecha colaboradora en representaciones de marionetas y todo tipo de celebraciones. El que *La Colorina* fuera casi analfabeta no impedía que sirviera de correa de transmisión del tesoro de la cultura oral que tanta importancia iba a tener más tarde en su obra. En la conferencia *Las nanas infantiles* el poeta granadino explicaba: «El niño rico tiene la nada de la mujer pobre, que le da al mismo tiempo, en su cándida leche silvestre, la médula del país».

Esta alegría y capacidad de seducción contrastan con otra faceta de su carácter: la profunda tristeza, la angustia que en algún caso llegó a convertirse en crisis depresiva y sentimental, el destino trágico al que se ve abocado ya desde su primera juventud. Muchas veces se ha explicado esta ambivalencia como propia de los seres que ocultan una carencia o que sufren una secreta frustración. Se ha achacado a la homosexualidad de Lorca su faceta oscura, esa zona de sombra de su vida. Hoy, por fortuna, existen menos prejuicios sociales y se admite como hecho natural lo que durante su juventud podía considerarse como un lastre imperdonable. En cualquier caso, Vicente Aleixandre, otro poeta de la Generación del 27, le recordaba así: «Era tierno como una concha en la playa. Inocente en su tremenda risa morena, como un árbol furioso. Ardiente en sus deseos, como un ser nacido para la libertad».

Otras características de su personalidad podrían parecer contradictorias, por ejemplo su natural atracción por todo lo popular, su primitivismo, al lado de una curiosidad inmensa por lo innovador y vanguardista. Su religiosidad iba en una dirección propia del sentido primitivo de lo sagrado. Esto no era óbice para que se sintiera anticlerical y se viera atraído, dentro de los movimientos de vanguardia, sobre todo por el surrealismo, que coincidía en su tendencia visionaria hacia lo irracional, presente ya desde sus primeros escritos.

Nunca fue Lorca un buen estudiante, aunque consiguiera obtener su licenciatura en la Facultad de Derecho de Granada, porque tenía una carácter indisciplinado que no se doblegaba a dedicar sus energías a ninguna tarea que no estuviera relacionada con su quehacer artístico. Su hermano Francisco, en su libro *Federico y su mundo,* recuerda la siguiente conversación con su padre, antes de que Federico partiera hacia Madrid con el fin de iniciar sus estudios universitarios:

> Tu hermano se empeña en ir a Madrid, sin otro propósito que el de estar allí. Lo dejo porque estoy convencido de que él no va a hacer lo que yo quiera. Él hará lo que le dé la gana, que es lo que ha hecho desde que nació. Se ha empeñado en ser escritor. Yo no sé si sirve o no sirve para escribir, pero como es lo único que va a hacer, yo no tengo más remedio que ayudarlo.

La inmensa espontaneidad, que hizo que su poesía fuera siempre inspirada, no impedía, sin embargo, que Lorca tuviera un conciencia clara de la obra literaria como fruto del trabajo y la contención. Opuso siempre al «poeta por la gracia de Dios, el poeta por la gracia de la técnica y el esfuerzo» y se identificó con el segundo. Tres figuras se aúnan en su espíritu: el ángel, la musa y el duende (la imaginación, la inteligencia y la energía irracional). Si eliminamos uno de estos ingredientes, seremos incapaces de asomarnos a su poesía.

La figura de García Lorca aparece casi siempre como representante de la España folclórica y de la España antifascista. Su imagen adquiere así la relevancia del mito, tanto en nuestro

país como en el extranjero. *Poema del cante jondo* y ROMAN-
CERO GITANO son títulos que nos remiten a la tradición andaluza y al mundo misterioso del flamenco; pero no debemos olvidar que la incorporación de lo popular a la poesía culta ha
sido una constante en la poesía española desde el Siglo de Oro,
y que el popularismo es en España otra forma de cultismo.
Además, Lorca se opuso con todas sus fuerzas al encasillamiento que esta visión suponía y rechazó por consiguiente la
imagen de «poeta gitano».

Lo que sí es indudable es que en su obra aparece una
apuesta fuerte por los marginados, esos personajes que se ven
abocados al fracaso porque no encajan en el mundo en el que
les ha tocado vivir. La representación de esa figura la encarna
muy bien el gitano o el negro de Harlem. Ambos representan a
seres nacidos para un vuelo demasiado alto, como el *albatros*
de Baudelaire. El mismo Lorca fue el protagonista de un
drama con un final muy trágico. ¿De qué manera se materia-
liza en términos políticos esta disposición del poeta en favor
siempre de los humillados? Una de sus hermanas, Concha
García Lorca, recordaba así una conversación con Federico en
la que ella le pedía una definición ideológica:

> Cuando estalló la guerra civil le pregunté:
> —Mira, Federico, no hablas nunca de política, pero la
> gente dice que eres comunista. ¿Es verdad?
> Federico se echó a reír.
> —Concha, Conchita mía —había contestado—, olvídate
> de todo lo que dice la gente. Yo pertenezco al partido de los
> pobres.

O sea que su sensibilidad social está claramente definida y
se concreta, en los años de la República sobre todo, en su
apoyo sincero y decidido por la causa de la libertad. Su amistad con Fernando de los Ríos, catedrático granadino muy ligado a la Institución Libre de Enseñanza, que llegaría a ser
ministro de Instrucción Pública en la República, así lo con-

firma. Tras su estancia en Estados Unidos, en una lectura que hizo en Madrid de su libro inédito *Poeta en Nueva York,* Lorca afirmaba:

> —El Chrysler Building se defiende al sol como un enorme pico de plata, y puentes, barcos, ferrocarriles y hombres los veo encadenados a un sistema económico cruel al que pronto habrá que cortar el cuello, y sordos por sobra de disciplina y falta de la imprescindible dosis de locura.

Y en junio de 1936, el año de su asesinato, decía en una entrevista:

> —En este momento dramático del mundo, el artista debe llorar y reír con su pueblo. Hay que dejar el ramo de azucenas y meterse en el fango hasta la cintura para ayudar a los que buscan las azucenas.

En esa búsqueda, coherente con su personalidad aunque no con la clase a la que pertenecía, encontró la muerte este gran poeta.

FEDERICO GARCÍA LORCA EN LA GENERACIÓN DEL 27

El que Federico García Lorca poseyera una personalidad singular y un valor artístico indudable no es obstáculo para que pensemos que su trayectoria no hubiera sido tan brillante si hubiera estado aislado, sin compartir con otros poetas proyectos y ambiciones. En este sentido, su relación con el resto de los componentes de la Generación del 27 servirá para situar su obra en un tiempo y un lugar dentro de la historia de nuestra literatura. Junto a poetas como Alberti, Salinas, Guillén, Aleixandre, Cernuda, G. Diego, D. Alonso, Prados o Altolaguirre, Lorca protagoniza una de las etapas más interesantes de la historia de la poesía del siglo XX.

Según Petersen, para que podamos hablar con propiedad de una generación literaria se han de dar una serie de condiciones. La primera de ellas es la coetaneidad de sus componentes: Lorca se sitúa en el centro de la línea que separa a Pedro Salinas, el mayor del grupo, nacido en 1891, y Manuel Altolaguirre, el menor, nacido en 1905. Su presencia se hace patente desde los albores de este grupo poético. Es, con Gerardo Diego, el primero que aparece ante el público español. En 1920, año en que el poeta santanderino publica *El romancero de la novia,* Lorca estrena, aunque con muy poco éxito, su primera obra de teatro, *El maleficio de la mariposa.* Y un año después, a un tiempo que *Poemas puros. Poemillas de la ciudad,* de D. Alonso, Lorca publica su *Libro de poemas.*

Haber recibido una educación similar, la segunda de las condiciones de Petersen, también se cumple en este caso: como sus compañeros de generación, Lorca recibe una formación liberal y universitaria. Más que sus estudios en la Universidad es su estancia en la Residencia de Estudiantes la experiencia iniciática más relevante en su educación.

Las relaciones personales, para las que Lorca estaba especialmente dotado, son estrechas entre los componentes de la Generación del 27. Estas relaciones se inician por medio de las revistas de poesía: *Índice,* de Juan Ramón Jiménez, y *Revista de Occidente,* de Ortega y Gasset, funcionan como ejemplos de rigor y selección para todos ellos. Más tarde, Prados y Altolaguirre dirigen *Litoral* en Málaga; Francisco Pino, *Meseta* y *DDOOSS* en Valladolid; Gerardo Diego, *Carmen* en Santander, y Lorca funda *Gallo* en Granada.

La experiencia generacional es sin duda alguna el homenaje a Góngora en Sevilla, con ocasión de su tercer centenario. Lorca participa activamente en la organización del homenaje, y su entusiasmo gongorino se hará patente en la conferencia titulada *La imagen poética de Don Luis de Góngora*, del año 1925.

Si, como afirmó Jorge Guillén, «la Generación del 27 no fue más —ni menos— que un grupo de amigos», Lorca mantuvo relaciones amistosas con todos ellos, como podemos comprobar si consultamos su epistolario, y como confirman las semblanzas que Aleixandre o Guillén, entre otros, escribieron sobre él. Un año después de su asesinato, cuando Emilio Prados publica el *Romancero General de la Guerra de España,* no duda en dedicárselo al poeta muerto.

En sus obras iniciales, casi todos los poetas de la Generación del 27 seguían los pasos de Juan Ramón Jiménez en su búsqueda de una poesía «desnuda», reacia tanto a la retórica como al prosaísmo. El mismo Lorca, en su *Oda a Salvador Dalí,* afirmaba: «Un deseo de formas y límites nos gana...», situándose así en la línea que Ortega y Gasset definía como *poesía deshumanizada.* Pero al lado de esta tendencia, encontramos en la Generación del 27 un interés por la recuperación de la mejor tradición española, tanto en su manifestación culta —valoración de Góngora—, como en la popular —romancero y cancionero—. De estas dos vertientes, vanguardista y tradicional, surge una interpretación de la poesía como misterio que tiene en García Lorca su principal valedor. Es, con Alberti, uno de los más decididos representantes de la línea popularista de su generación, por ejemplo con el ROMANCERO GITANO, y a la vez sabe hacer uso de la libertad creadora que las vanguardias, sobre todo el surrealismo, habían proclamado, como se puede ver en su libro *Poeta en Nueva York.* Dámaso Alonso afirmaba que «la Generación del 27 no nació con el destino de ir en contra de nada, no heredó el impulso iconoclasta de los grupos vanguardistas, no vino a tachar sino a escribir poesía». Este respeto, casi sagrado, por la poesía podría ser el lema que mejor sintetizara la obra del poeta granadino.

La obra poética de García Lorca

> Sobre tu cuerpo había penas y rosas
> tus ojos eran la muerte y el mar
> tu boca, tus labios, tu nuca, tu cuello
> Yo como la sombra de un antiguo Omar...

Con estos cuatro versos dodecasílabos, muy del gusto modernista, comienza el primer poema que se conserva del joven García Lorca, escrito en 1917. Su hermano Francisco los recoge en un libro titulado *Federico y su mundo*. Tenía entonces diecinueve años. Francisco García Lorca afirma que Federico no fue muy precoz a la hora de escribir versos, pero una vez comenzada esta actividad, se entregó a ella con decisión y entusiasmo. Entre 1921, fecha de la publicación de su primer libro de poemas, y 1936, año de su muerte, se extiende la obra poética de Lorca.

En 1921, como hemos señalado, publica *Libro de Poemas*. Ya vivía en Madrid, en la Residencia de Estudiantes, y la edición de la obra fue sufragada por su padre. Este libro juvenil refleja las lecturas de Bécquer y de Rubén Darío, y la más reciente de Juan Ramón Jiménez. Domina en él un tono melancólico con evocaciones de la infancia como paraíso irremediablemente perdido, pues expresa las inquietudes de un joven que se está haciendo consciente de la pérdida de la inocencia. Lorca, refiriéndose a él mucho más tarde, afirmó: «Hay en esta obra el gusto de mezclar imágenes astronómicas con insectos y hechos vulgares, que son notas primarias de mi carácter poético». En efecto, en *Libro de Poemas* aparece ya un espíritu singular, que caracterizará su obra restante.

Los años que van de 1921 a 1924 son de una enorme fecundidad, pues en ellos Lorca se ocupa en la composición de tres libros al mismo tiempo: *Suites* (1920-1921, publicado póstumamente), *Canciones*, publicado en 1927, y *Poema del cante jondo,* que no aparecerá hasta 1931. *Canciones* supone una afirmación de la sencillez popular, que coincide con el sentido vanguardista del arte como juego intrascendente y busca a un tiempo la desnudez de la poesía de Juan Ramón. Sin embargo, posee también este libro la grandeza trágica que caracterizará su obra posterior, sobre todo en las composiciones cuyos protagonistas son jinetes que se esfuerzan por huir de su propio destino. Con este libro Lorca se inscribe en la tradición del cancionero popular, de una manera personal y singularísima.

La idea de componer *Poema del cante jondo* aparece unida
a la organización de un concurso de cante jondo en Granada,
en 1921, proyecto común de Lorca y Manuel de Falla. Esta es
la primera ocasión en que intenta interpretar un mundo ajeno a
su propio yo íntimo. Está muy relacionado este intento con el
que Falla había hecho al componer *La vida breve* y *El amor
brujo*. Lo mejor del cante flamenco y lo más primitivo del espíritu andaluz está expresado en este libro, esa verdad que, en
sus palabras, «es más grito que gesto». García Lorca habló así
de su libro: «Su ritmo es estilizadamente popular... es la primera cosa de otra orientación mía y no sé todavía qué decir de
él... ¡pero novedad sí tiene!... los poetas españoles no han tocado nunca este tema y siquiera por el atrevimiento merezco
una sonrisa». El ROMANCERO GITANO (1928) se inscribe en
esta misma línea, como comentaremos más adelante.

Aquí concluye la primera etapa, de orientación populista, de
la poesía de Lorca, que iría desde 1921 *(Libro de Poemas),* hasta 1928 (ROMANCERO GITANO). En la misma época escribió poemas en prosa, publicados en distintas revistas, de 1927 a 1929.

Poeta en Nueva York, escrito entre 1930 y 1932, pero que no
aparecerá hasta después de su muerte, marca la segunda etapa
en la obra de Lorca, en la que va a dar un giro y se va a inter-
nar en el mundo de la sociedad capitalista, opuesto al primitivismo mítico anterior, aunque, como bien señala Mario Hernández en su edición de *Poema del cante jondo,* la actitud del
poeta como «intérprete» es la misma en el ROMANCERO GI-
TANO que en *Poeta en Nueva York.*

Este libro es fruto de la estancia de Lorca en Estados Unidos. Como ya hemos señalado, su viaje al país norteamericano
se produjo en un momento de crisis personal. A esta situación
de inestabilidad y zozobra se añadió el choque entre el mundo
campesino y religioso y la civilización materialista moderna.
Llegó Lorca a Estados Unidos en una coyuntura muy especial,
el momento de la caída de la bolsa neoyorquina. Con una luci-
dez impresionante, identificó al hombre norteamericano como
pieza de una máquina en la que se ahoga y es humillado. Y la

figura que mejor representa esa humillación es el hombre de color. En el negro se aúnan la grandeza y la marginación, el destino trágico que en sus libros anteriores representaba el gitano andaluz. Lorca afirma entonces con rotundidad que los negros fueron lo más espiritual y delicado que encontró en Norteamérica. Formalmente abandona la métrica tradicional y se interna en el caos de un ritmo menos ortodoxo, donde aparecerán imágenes visionarias que nos recuerdan a los poetas surrealistas. Así representa la irracionalidad de una sociedad asentada sobre el absurdo. Un tono profético de indignación y amenaza aparece en poemas como «Oda al rey de Harlem» o «Grito hacia Roma».

A partir de ese momento, durante los últimos años de la República, Lorca trabajará en la elaboración de dos libros: *Diván del Tamarit* y *Sonetos del amor oscuro*. Además, en 1935, compone una de sus piezas más importantes, el *Llanto por Ignacio Sánchez Mejías*. El *Diván del Tamarit*, escrito entre 1932 y 1935, no aparecerá hasta 1940, en las páginas de la *Revista Hispánica Moderna*. Según afirma Mario Hernández, «este breve conjunto de gacelas y casidas constituye una de sus expresiones más acabadas y complejas; además de ser uno de los grandes libros de la poesía europea de este siglo, constituye la más acendrada defensa de la inspiración, que conecta su obra con el mundo de lo ultrasensible». Libro hermético y misterioso, que posee la gracia, la frescura y la sensualidad de la poesía arábigo-andaluza y supone un homenaje a Granada y a la tradición oriental, como señaló Emilio García Gómez; pero, a la vez, libro íntimo, apasionado. En él Lorca vuelve a su origen andaluz, sin renunciar a los hallazgos de su trayectoria poética.

Los *Sonetos del amor oscuro* aparecieron por primera vez, de manera incompleta, en 1941, y fueron calificados por Vicente Aleixandre como un «prodigio de pasión, de entusiasmo, de felicidad, de tormento, puro y ardiente monumento al amor». El amor oscuro, prohibido, se expresa ahora dentro del marco estricto del soneto, ajustado a una exacta disciplina. Las huellas de San Juan de la Cruz, Góngora o Quevedo, conviven con la relación cotidiana de las anécdotas propias de una historia de amor, y el amor se sitúa en este libro bajo el signo de la oscuridad y la desesperanza. Como señala Javier Ruiz Portella, «el amor, aquí, no sólo es el de los sentimientos y el corazón. Es también, y con igual intensidad, el amor de la carne». Un erotismo trágico inunda con sensualidad y dramatismo los endecasílabos por los que discurre la última obra de Lorca.

Llanto por Ignacio Sánchez Mejías es una elegía al torero sevillano, muerto en la plaza de Manzanares. Como señala Francisco García Lorca, esta elegía es «un poema de integración y, por ello, en cierto modo, el más lorquiano, el que refleja mejor el rostro del poeta. En él alternan innovación y tradición, libertad creadora y disciplina, ímpetu lírico y enfrentamiento». El peso de la tradición se deja notar en el mismo título de la elegía, *Llanto,* pues «planto» o «llanto» era como se denominaban los poemas dedicados a los muertos en la Edad Media. Pero las doloridas imágenes irracionales, las personificaciones y sinestesias nos trasladan inmediatamente a la modernidad. Es en esa fusión de lo interior y lo exterior, de la tradición y la vanguardia, donde la elegía al torero muerto asciende a las cimas más altas dc la palabra poética.

En definitiva, escribe García-Posada, «el universo lorquiano es una maraña de temas, motivos y símbolos que se repiten e imbrican con admirable fidelidad. De ahí la imposibilidad de leer a Lorca de manera lineal, pues toda su obra resulta ser una especie de espiral donde todos los elementos se corresponden y contrastan». Un poema épico que iba a llevar el título de Adán era el proyecto que Lorca tenía entre las manos cuando fue asesinado en 1936.

ROMANCERO GITANO

En julio de 1928, la editorial de la Revista de Occidente publica este libro con el título de ROMANCERO GITANO en la cubierta y *Primer romancero gitano* en la portada. Su elaboración ha sido larga, entre 1922 y 1926. Como explica Christian De Paepe en su documentada edición, la primera vez que Lorca anuncia su intención de componer un conjunto de romances data de 1922, y dos años más tarde ya tiene el plan de publicar un libro con estas composiciones. El primero de los romances, en cuanto a la fecha de su escritura, es el *Romance de la luna, luna,* al que seguirán el *Romance de la pena negra* y el *Romance sonámbulo.* En una lectura pública en el Ateneo de Valladolid, en 1926, anuncia el título de ROMANCERO GITANO para un libro que ya tiene elaborado. Sin embargo, un año más tarde, Lorca reconoce su cansancio con respecto al proyecto de iniciar el montaje del libro. Le hastía el encasillamiento que estos romances suponen para su personalidad de poeta. En una carta se lo dice a su amigo Jorge Guillén: «Me va molestando un poco "mi mito" de gitanería. Confunden mi vida y mi carácter. No quiero, de ninguna manera. Los gitanos son un tema, y nada más».

En 1928, después de su publicación, escribe a Fernández Almagro: «Claro que mi libro no lo han entendido los putrefactos, aunque ellos digan que sí. A pesar de todo, a mí ya no me interesa nada o casi nada. Se me ha muerto en las manos de la manera más tierna. Mi poesía tiene ahora otro vuelo más agudo todavía». Así pues, Lorca tenía en ese momento una clara conciencia de haber acabado, de la manera más brillante, con una etapa de su obra.

El Romancero gitano *y la tradición*

Como señala Mario Hernández, tanto en *Poema del cante jondo* como en ROMANCERO GITANO la actitud de Lorca es la del poeta «intérprete». Esta actitud se asemeja a la del «cantaor» de flamenco, que él mismo definía así en su conferencia sobre el cante jondo: «La figura del "cantaor" está dentro de dos grandes líneas: el arco del cielo en el exterior y el zigzag que culebrea dentro de su alma». Este equilibrio entre interior y exterior, que hace del poeta un transmisor efímero de la emoción cósmica, es la postura que Lorca adopta en el ROMANCERO GITANO. El canto, entonces, adquiere un carácter sagrado, mítico: «El cantaor, cuando canta, celebra un solemne rito, saca las viejas esencias dormidas y las lanza al viento envueltas en su voz», sigue diciendo en la misma conferencia.

Un panteísmo de origen religioso presente en este libro pone en comunicación los diferentes elementos naturales con los profundos sentimientos del hombre. En este sentido habría que señalar la insistente personificación del «viento» en algunos romances, con un significado erótico indudable; o la personificación de la «pena» en una figura dramáticamente femenina. El gran tema del cante flamenco es la pena, y ese es el motivo central del ROMANCERO GITANO, cargado, como las seguirillas o las soleás, de un tremendo patetismo. La pena andaluza posee en el ROMANCERO —vuelve a señalar Mario Hernández— un carácter integrador. Lorca acude para expresarla a multitud de fuentes de inspiración que no son exclusivamente gitanas. En el ROMANCERO aparece, por ejemplo, un romance de tema judío: *Thamar y Amnón*. Por eso este libro puede ser considerado gitano-andaluz y supone una superación de lo exclusivamente localista o folclórico. En la conferencia-recital sobre su ROMANCERO afirmaría refiriéndose a esta obra: «Un libro donde apenas si está expresada la Andalucía que se ve... Un libro antipintoresco, antifolclórico, antiflamenco... donde las figuras sirven a fondos milenarios y donde no hay más que un solo personaje que es la Pena». El elemento flamenco andaluz adquiere así un carácter universal, a la vez que permanece religiosamente enraizado en sus orígenes gitanos. Es una Andalucía invisible, celeste más que terrestre, la que se alza sobre este escenario mágico, con la transparencia propia de toda mirada poética. Es ese misterio el que Lorca expresa en sus romances y del que, como el cantaor, intenta ser un intérprete respetuoso.

Por todo lo que acabamos de explicar, el ROMANCERO GITANO se inscribe en la tendencia neopopulista de la Generación del 27. A esta tradición se une la más antigua del romancero nuevo o artístico, que ya desde el Siglo de Oro venía siendo una constante en nuestra literatura. Poetas de la talla de Lope o Góngora escribieron romances en los que conservaban la métrica y los rasgos del estilo popular, aunque estuvieran dentro de la línea culta. Esta misma actitud es la que resucitaron los poetas románticos, el Duque de Rivas o Zorrilla. Y ya en el siglo XX, Antonio Machado, con *La tierra de Alvargonzález,* había intentado algo semejante. Lo que Alberti, su compañero de generación, consiguió al reelaborar el espíritu del cancionero popular, lo logra Lorca con el romancero tradicional en el libro que nos ocupa. Como señala De Paepe: «Lorca aparece como el fiel receptor de las voces de antaño y del momento, voces que reelabora, transforma y recrea dentro del mismo estilo, pero adaptándolas a nuevas situaciones narrativas, al metro romancista, a personajes mítico-histórico actuales».

No debemos olvidar, sin embargo, que en la época en que elabora el ROMANCERO GITANO se da la denominada tendencia neogongorina en la Generación del 27, que adquiere su punto más álgido en las celebraciones del tercer centenario del poeta cordobés. De Góngora, Lorca valora la singularidad y la fuerza expresiva de las imágenes, como queda patente en su conferencia *La imagen poética en Góngora.* El elemento mitológico, común a ambos, vertebra también este libro, y su patético sentido de la muerte coincide con la angustia barroca de los poetas del Siglo de Oro. Más allá de la aparente transparencia narrativa de sus romances, el hermetismo y la exactitud cerebral de las imágenes nos remiten a la tradición culta, y con ella, aunque puede parecer paradójico, a la poesía vanguardista, que coincidía en considerar al poema como una creación absoluta, no como una representación del mundo. Vicente Huidobro, el creacionista chileno, había proclamado unos años atrás: «¿Por qué cantáis la rosa, oh poetas? ¡Hacedla florecer en el poema!».

«El romance típico —decía García Lorca en su conferencia recital— había sido siempre una narración... porque cuando se hacía lírico, sin eco de anécdota, se convertía en canción. Yo quise fundir el romance narrativo con el lírico sin que perdieran ninguna calidad». Así pues, el lirismo del ROMANCERO GITANO, su misterio auténticamente poético, surge al superar, por medio de la imagen, la anécdota que caracterizaba al romancero viejo, al ascender por las escaleras de la narración hacia un más allá celeste, indefinido. Así, la antigua tradición popular y la clásica tradición culta se integran en un mosaico en el que no falta el brillo de la última poesía de vanguardia. Según afirma Daniel Devoto: «La evolución de García Lorca, idéntica a la de Falla, nos ilustra de manera perfecta sobre ese paso decisivo de lo nacional —casi lo regional—, raíz y trampolín, a lo universal, a lo de todos y lo de siempre».

Los símbolos en el Romancero gitano

La palabra «símbolo» significaba en griego «señal para reconocerse» y, como explica Emilio Lledó, el símbolo, que en su origen fue una tablilla a la que le faltaba un pedazo que había que buscar y hacer coincidir, se asocia a la partitura, la señal o el plano incompleto. La palabra poética es símbolo porque necesita para ser comprendida de la mirada del lector, de su interpretación y reconocimiento.

La poesía de García Lorca es radicalmente simbólica y, para ser entendida en su complejidad, nos remite al mundo del mito, a la conformación primitiva de la memoria ancestral. Allí encuentra su significación ambigua y exacta al mismo tiempo.

Se han realizado muchas interpretaciones de los símbolos de Lorca y algunas de ellas nos pueden a ayudar a acercarnos a ese universo tan misterioso que conforman las imágenes y las figuras en el ROMANCERO GITANO. Uno de los trabajos más interesantes sobre ese tema es el realizado por J. M. Aguirre. Según Aguirre, aparecen dos conflictos básicos en el libro, que se expresan a través de múltiples signos: un erotismo opuesto a las normas sociales y una preocupación obsesiva por la esterilidad en la relación amorosa. El gitano encarnaría el conflicto entre instinto y sociedad. Juan López Morillas ya había señalado que «el afán del gitano por vivir sin trabas y su forzoso sedentarismo simboliza el conflicto entre primitivismo y civilización». El gitano, ser problemático, fracasa forzosamente en sus intentos de adaptación a la sociedad y sucumbe a su *fatum* o destino trágico. Pero a la vez es allí donde reside su grandeza. Este personaje abocado a la muerte y a la frustración adquiere en la obra de Lorca otras representaciones; el negro de *Poeta en Nueva York,* la protagonista de *Mariana Pineda,* el torero Sánchez Mejías o el enamorado de los *Sonetos del amor oscuro.*

Otros símbolos son constantes en el ROMANCERO GITANO: la luna como representante de la muerte y la petrificación; el viento, símbolo del erotismo masculino; el pozo como expresión de la pasión estancada, sin salida... Es muy interesante en el estudio de J. M. Aguirre su interpretación del color «verde» como símbolo del deseo prohibido que conduce a la frustración y a la esterilidad. Siguiendo con este discurso, la figura del caballo representaría la pasión, el instinto desenfrenado que conduce al jinete gitano hacia la muerte, pues nunca alcanza el destino que añora. José Francisco Cirre explica que el caballo es el «elemento móvil y obligatoriamente trágico de un país estático. Movilidad defensiva porque el tiempo del caballo es limitado y el de la muerte infinito». Concha Zardoya constata la importancia de los «espejos» en el mundo poético de Lorca. El espejo es en el ROMANCERO GITANO un símbolo polivalente: significa el hogar y la vida sedentaria y recoge valores cromáticos, acústicos, etc. Los ojos aparecen en más de una ocasión en estos romances como representaciones metafóricas del espejo, y la luna es finalmente el gran espejo sobre el que se refleja el mundo.

Todas estas representaciones coinciden con la versión psicoanalítica del subconsciente colectivo de las teorías de Jung, y nos remiten a una visión mítica, muy acorde con la sensibilidad lorquiana. Ahora bien, estas interpretaciones limitarían el significado de los poemas si las aplicáramos de manera mecánica, si creyéramos agotar con ellas el misterio de la obra de Federico García Lorca. Deben funcionar más bien como luciérnagas que nos alumbren en la oscura profundidad del poema, para que no nos perdamos en su laberinto. No debemos olvidar, sin embargo, que en esas tinieblas, nunca alumbradas del todo, reside la esencia singular de la poesía.

Métrica y estilo en el Romancero gitano

La medida y la rima del ROMANCERO GITANO se atienen en términos generales al molde del romancero tradicional. El octosílabo sólo es sustituido en contadas ocasiones, como en *La casada infiel,* cuyo primer verso es un decasílabo. Capítulo aparte es la *Burla de Don Pedro a caballo,* antirromance, burla irónica del resto de las composiciones del libro. Christian De Paepe señala cómo en los romances divididos en distintas secciones las rimas se alternan para subrayar los diferentes modos de expresión —narrativos o descriptivos—, los cambios de personajes o de escenarios, etc. (véanse págs. 65-70).

En cuanto a los rasgos del estilo, muchos de ellos nos remiten al romancero tradicional. La transmisión oral de los antiguos romances populares traía como consecuencia su tendencia al fragmentarismo. Este fragmentarismo conllevaba unos rasgos que Lorca recoge en el ROMANCERO GITANO (véanse págs. 70-78). Enumeraremos los más importantes:

1. Las conjunciones «y» o «que» con las que comienza *La casada infiel:* «Y que yo me la llevé al río...». Estas conjunciones dan al poema un valor continuativo, como si fuera el fragmento de una composición previa, más larga, y en parte olvidada.

2. El comienzo abrupto, *in medias res,* de muchos romances se explica de la misma manera. Algo similar ocurre con el

final truncado, característica del romancero viejo, y que tiene su paradigma en el maravilloso *Romance del Conde Arnaldos.* El poema se corta con un final abrupto, sin efecto de cierre, lo que le dota de ambigüedad y sugerencia. Un ejemplo sería la *Burla de Don Pedro a caballo,* que termina: «David con unas tijeras / cortó las cuerdas del arpa».

3. Otra característica del romancero tradicional era la alternancia verbal o «disimetría verbal». La combinación del presente con el imperfecto, el futuro con el condicional, etc., como, por ejemplo, en el famoso *Romance de Abenamar.* En el ROMANCERO GITANO el uso de las formas verbales, sin ser caprichoso, obedece también a razones más intuitivas que lógicas. Juan Cano Ballesta ha estudiado el sistema de formas verbales del ROMANCERO GITANO. Señala este autor que la forma verbal más abundante es la del presente de indicativo. Joaquín González Muela había constatado el predominio del presente en muchos poemas modernos, «como si el presente en la poesía estuviera relacionado con presentar, mirad cómo van los seres, mirad lo que están haciendo...». Por medio de esta forma se logra la actualización intensificadora de la narración, con una función dramática. Como en la escena teatral, los sucesos se desarrollan en presente. *Preciosa y el aire* es un ejemplo de este fenómeno.

El presente combina muy bien con el imperfecto, pues ambas formas son de aspecto imperfectivo. De hecho al imperfecto se le ha llamado «presente del pasado». Pero cuando el imperfecto sustituye al indefinido, evoca cuadros intuitivos, se dirige directo a la imaginación. Aparece este imperfecto sobre todo con verbos de movimiento, dotando así al poema de un especial dinamismo. Un ejemplo de esta utilización del imperfecto es «El romance de la luna, luna».

El pretérito indefinido, tiempo apropiado sobre todo para la narración, aparece en el romancero de Lorca destemporalizado, en combinación con otras formas verbales. Es la forma más precisa para captar los momentos terribles y trágicos: el hundimiento del mundo gitano o la muerte de los héroes. Un ejemplo es el romance del *Prendimiento de Anto-ñito el Camborio*.

Esta utilización especial de las formas verbales dota tanto al Romancero gitano como al romancero tradicional de un carácter más lírico que narrativo, la categoría de tiempo pasa a un segundo plano, pues su función es ahora subrayar aspectos y matices de valor poético.

Sin duda el romancero tradicional deja en el Romancero de Lorca unas huellas patentes, pero si algo caracteriza al Romancero gitano es la riqueza y originalidad de sus metáforas, que no deben nada al estilo de la poesía de transmisión oral. Hay un universo simbólico que propicia una animación de la naturaleza, e incluso de las emociones, y se plasma en expresivas prosopopeyas. En *Reyerta,* por ejemplo, la tarde cae desmayada sobre los muslos de los jinetes, y en *San Miguel,* el mar baila en la playa. La personificación del viento dota a éste de un carácter mítico en los poemas de Lorca. El viento aparece en *Preciosa y el aire,* calificado por un sustantivo cargado de expresividad y con una función personalizadora: viento-hombrón. Al lado de la personificación encontramos también la animalización, como en *La monja gitana,* en el que leemos: «La iglesia gruñe a lo lejos / como un oso panza arriba». Pero las personificaciones con más hondura emocional son las de la pena o la muerte, pues ellas inciden en los motivos centrales del romancero, como en el *Romance de la pena negra:* «Oh pena de los gitanos / pena limpia y siempre sola».

Las comparaciones y metáforas son también abundantes y destacan sobre todo las que hacen alusión al léxico floral y al mundo taurino. El contraste entre la delicadeza de las flores y la violencia de la sangre produce un efecto vivamente intensificador en *Reyerta:* «Su cuerpo lleno de lirios, / y una granada en las sienes». La extrema complejidad de alguna de sus metáforas nos recuerda el barroquismo gongorino, como en el *Romance del emplazado,* donde podemos leer:

> Los densos bueyes del agua
> embisten a los muchachos
> que se bañan en las lunas
> de sus cuerpos ondulados.

Otras veces, sin embargo, una sencilla comparación soporta el peso profundo de la emoción o el deseo, como en el romance *San Miguel,* donde Lorca caracteriza así a las manolas: «Los culos grandes y ocultos / como planetas de cobre». La adjetivación produce efectos sonoros, táctiles y cromáticos. En el universo de Lorca todo está presidido por las correspondencias, entre emociones, acontecimientos, paisajes, etc. Las sinestesia, como «blancos almidonados», «viento verde», «rumores calientes», «silencios de goma», etc., relacionan el ROMANCERO GITANO con la poesía simbolista. Manuel Durán señala en el ROMANCERO algunos giros que nos remiten a las greguerías de Gómez de la Serna. Señalamos algunos ejemplos:

> Tres golpes de sangre tuvo
> y se murió de perfil.
> Viva moneda que nunca
> se volverá a repetir.

> *

> Noche de torsos yacentes
> Y estrellas de nariz rota
> aguarda grietas del alba
> para derrumbarse toda.

Otras veces aparecen imágenes que nos remiten al mundo del cubismo, como esta que pertenece al romance *Muerto de amor:* «Fachadas de cal ponían / cuadrada y blanca la noche».

Lorca había hecho suya la afirmación de Ortega y Gasset que definía a la poesía como «el álgebra superior de las metáforas». No hay, por ello, en el ROMANCERO GITANO ninguna concesión al automatismo surrealista ni sus imágenes poseen un carácter onírico. En su conferencia sobre *La imagen poética en Góngora,* Lorca había explicado: «El poeta tiene que ser profesor en los cinco sentidos corporales, en este orden: vista, oído, tacto, olfato y gusto. Para que la metáfora tenga vida, necesita dos condiciones esenciales: forma y radio de acción. Su núcleo central y una redonda perspectiva en torno a él. El núcleo se abre como una flor que nos sorprende por lo desconocido, pero en el radio de luz que lo rodea hallamos el nombre de la flor y conocemos su perfume.»

Así pues, vanguardismo, gongorismo y reminiscencias del modelo tradicional se combinan en el brillante entramado formal del ROMANCERO GITANO. Pero la originalidad del libro reside en que esta combinación, bien controlada y ordenada por el poeta, nunca desborda el cauce por el que transcurre. Cauce que desemboca en la expresión de un vivo dolor, luminoso, que alumbra como un cuchillo en la noche misteriosa de su universo poético.

ESPERANZA ORTEGA

ROMANCERO GITANO

Edición de
Christian De Paepe

1

ROMANCE DE LA LUNA, LUNA *

A Conchita García Lorca **

1   La luna vino a la fragua
    con su polisón de nardos.
    El niño la mira, mira.
    El niño la está mirando.

---

  * En manuscritos y ediciones anteriores se le dieron los títulos siguientes: *Romance de la luna de los gitanos; Romance gitano de la luna luna de los gitanos; Romance de la luna luna.* Por la supresión del adjetivo calificativo «gitano» en el título definitivo, toda la atención se concentra, en este romance inicial, sobre la presencia múltiple y polimorfa del mítico astro nocturno. Esta presencia irradia sobre el conjunto del libro.

  ** Hermana de Federico (1903-1962), casada con Manuel Fernández Montesinos (1900-1936).

  1 *la fragua:* las alusiones al mundo propio de los gitanos son frecuentes (particularmente los metales en los vv. 1, 8, 12, 15, 26). En Lorca todo metal tiene una referencia a la muerte: «... un país donde lo más importante de todo tiene un último valor metálico de muerte» *(Teoría y juego del duende).*

  2 *polisón de nardos:* con la antropomorfización de la luna que se manifiesta, viste y actúa como mujer, se introducen igualmente olores, colores (blanco) e impresiones táctiles (frío) que en Lorca suelen connotar ausencia o pena de amor. Véase, por ejemplo, en *Eco (Canciones):* «El nardo de la luna / derrama su olor frío»; en *Juan Ramón Jiménez (Canciones):* «En el blanco infinito, / nieve, nardo y salina»; en el lenguaje de las flores de *Doña Rosita la soltera:* «suspiros de amor, el nardo»; y expresiones como «ceniza de nardo» *(Oda al Rey de Harlem),* «nardo ceniciento» *(En la muerte de Ciria y Escalante),* o el vestido blanco de *Amparo* (del *Poema del cante jondo):* «Ecuador entre el jazmín / y el nardo».

5   En el aire conmovido
     mueve la luna sus brazos
     y enseña, lúbrica y pura,
     sus senos de duro estaño.
     Huye luna, luna, luna.
10   Si vinieran los gitanos,
     harían con tu corazón
     collares y anillos blancos.
     Niño, déjame que baile.
     Cuando vengan los gitanos,
15   te encontrarán sobre el yunque
     con los ojillos cerrados.
     Huye luna, luna, luna,
     que ya siento sus caballos.
     Niño, déjame, no pises
20   mi blancor almidonado.

     El jinete se acercaba
     tocando el tambor del llano.
     Dentro de la fragua el niño,
     tiene los ojos cerrados.
25   Por el olivar venían,
     bronce y sueño, los gitanos.

---

13   *baile:* según explicó Lorca en su conferencia-recital del *Romancero gitano,* la luna es «bailarina mortal».

20   *blancor almidonado:* nueva calificación visual, táctil y auditiva de la luna. Véase igualmente *La casada infiel,* vv. 12-15.

21   *El jinete:* encarnación antropomórfica de la muerte (véase el *Diálogo del Amargo* del *Poema del cante jondo),* cuya mensajera es la luna [ver también *La luna y la muerte* del *Libro de poemas* y el cuadro I del acto III de *Bodas de sangre].*

22   *tocando el tambor:* Lorca ya había empleado la misma imagen auditiva-musical en *Pórtico,* de la suite *El jardín de las morenas:* «El agua / toca su tambor / de plata».

26   *bronce:* comparar con: «unos niños desnudos, con carnes de bronce...», de *Mediodía de agosto* de *Impresiones y paisajes.*

Las cabezas levantadas
y los ojos entornados.

Cómo canta la zumaya,
30   ¡ay cómo canta en el árbol!
Por el cielo va la luna
con un niño de la mano.

Dentro de la fragua lloran,
dando gritos, los gitanos.
35   El aire la vela, vela.
El aire la está velando.

---

29   *la zumaya:* se puede interpretar la presencia del ave nocturna como
una señal de mal augurio.
31-32   Esta escena de luna nocturna y crepuscular con el niño muerto le
inspiraría más tarde a Lorca el diálogo del gato y del niño muerto en el acto I
de *Así que pasen cinco años.*
32   *un niño:* importa el peso del artículo indefinido, frente a los vv. 3-4,
para indicar al niño muerto.
35   *la:* a pesar de cierta ambigüedad (¿la luna?, ¿la fragua?) y la analogía
formal con los vv. 3-4 y el título, el complemento del verbo «velar» (en su
acepción de «acompañar al cadáver de una persona muerta») sólo puede ser
la fragua, lugar del velatorio que se le hace al cuerpo del niño gitano muerto.
La versión manuscrita suprimida: «El aire *los* vela» apoya tanto el sentido
dado al verbo como a su objeto: la fragua y sus ocupantes, no la luna que «va
por el cielo».

2

PRECIOSA Y EL AIRE *

A Dámaso Alonso **

1   Su luna de pergamino
    Preciosa tocando viene,

---

* Para este «mito inventado» por Lorca se pueden mencionar varios antecedentes literarios, mitológicos y populares. Preciosa es el nombre de *La gitanilla* de las *Novelas ejemplares* de Cervantes, famosa bailadora y cantante de romances al son del panderete. La novela contiene varias consideraciones sobre poesía y menciona explícitamente el *Romancero general,* lo que bien podría ser un guiño del autor del *Romancero gitano.* Entre los versos recitados por Preciosa hay uno que reza: «Y San Cristóbal gigante». Hay más nexos temáticos entre las dos Preciosas: ambas «convierten el pecho» de quienes la escuchan «en fuego» (vv. 22, 31-32, 41-42) y ambas tienen «por mejor ventura ser honesta que hermosa».

El viento como sátiro enamorado de doncellas, con ser una reminiscencia mitológica clásica, tiene en la obra de Lorca varias prefiguraciones, desde el primer poema del *Libro de poemas: Veleta,* pasando por *Balada de un día de julio; Arbolé Arbolé* o *Nocturnos de la ventana...* En la conferencia *El cante jondo* Lorca explica: «El viento es personaje que sale en los últimos momentos sentimentales, aparece como un gigante preocupado de derribar estrellas...».

** Dámaso Alonso (1898-1990), académico, catedrático, poeta, filólogo y traductor, muy activo en las celebraciones y ediciones del tricentenario de la muerte de Luis de Góngora (1627-1927).

1   *luna de pergamino:* metafórica indicación del panderete (v. 29). Comparar con «el pergamino de los tambores» *(Paisajes de la multitud que vomita,* v. 2, de *Poeta en Nueva York);* «la rueda amarilla del tamboril» *(Oda a Walt Whitman,* v. 19, del mismo libro) y «sobre a verde lúa, coma un tamboril» (v. 18 del *Noiturnio do adoescente morto,* de *Seis poemas galegos).*

por un anfibio sendero
de cristales y laureles.
5 El silencio sin estrellas,
huyendo del sonsonete,
cae donde el mar bate y canta
su noche llena de peces.
En los picos de la sierra
10 los carabineros duermen
guardando las blancas torres
donde viven los ingleses.
Y los gitanos del agua
levantan por distraerse,
15 glorietas de caracolas
y ramas de pino verde.

*

Su luna de pergamino
Preciosa tocando viene.
Al verla se ha levantado
20 el viento, que nunca duerme.
San Cristobalón desnudo,

---

12 *los ingleses:* a partir de finales del siglo pasado numerosos ingleses
se habían instalado en varias zonas de Andalucía, y particularmente en la
provincia de Granada (ver: «mar» y «sierra», vv. 7-9) por motivos económi-
cos sobre todo (la primera industrialización, la remolacha...).

15 *glorietas:* en Lorca la actividad artística puramente gratuita del gitano
(cante, baile, toque) se compara a veces con la del jardinero, creador de flores
y jardines. Ver, por ejemplo, el *Retrato de Silverio Franconetti* (vv. 17-20):

> Y fue un creador
> y un jardinero.
> Un creador de glorietas
> para el silencio.

21 *San Cristobalón:* como primero Jeremy Forster ha estudiado detalla-
damente los aspectos populares y mitológico-religiosos del personaje («As-
pects of Lorca's St. Christopher», en *Bulletin of Hispanic Studies,* XLIII
[1943], págs. 109-116). La lectura de este artículo permitirá matizar mucho

lleno de lenguas celestes,
mira a la niña tocando
una dulce gaita ausente.

25   Niña, deja que levante
tu vestido para verte.
Abre en mis dedos antiguos
la rosa azul de tu vientre.
Preciosa tira el pandero
30   y corre sin detenerse.
El viento-hombrón la persigue
con una espada caliente.

Frunce su rumor el mar.
Los olivos palidecen.
35   Cantan las flautas de umbría
y el liso gong de la nieve.

¡Preciosa, corre, Preciosa,
que te coge el viento verde!
¡Preciosa, corre, Preciosa!

---

la idea lorquiana del «mito inventado» por él. Ya en *Madrigal de verano* (del *Libro de poemas)* aparece el mismo santo con muy marcadas características sexuales: «los muslos sudorosos / de un San Cristobalón campesino, lentos / en el amor y hermosos...»).

23-24: *tocando una gaita:* el personaje de Cristóbal (sátiro-Pan) tiene otra encarnación teatral en Don Cristóbal (Cristobita) de los *Títeres de Cachiporra,* donde «suena como un fagot» y «sus suspiros son de flautín». En la *Cantiga do neno de tenda,* de los *Seis poemas galegos,* «o vento do norde» toca «unha gaita» (vv. 1-4).

28   *la rosa azul de tu vientre:* los ejemplos de sexualidad floral abundan en Lorca. Otros ejemplos del *Romancero gitano* son: «mis muslos de amapola» *(Romance de la pena negra),* el «rumor de rosa encerrada» *(Thamar y Amnón)* y las «flores» de la fantasía de *La monja gitana.*

33   *frunce su rumor:* imagen antropomórfica para la superficie del mar, fruncida como una frente humana pensativa.

38   *viento verde:* entre las muchas posibles connotaciones del color verde en el *Romancero gitano,* hay que retener aquí su referencia a la agresividad sexual.

40 ¡Míralo por dónde viene!
Sátiro de estrellas bajas
con sus lenguas relucientes.

*

Preciosa, llena de miedo,
entra en la casa que tiene
45 más arriba de los pinos,
el cónsul de los ingleses.

Asustados por los gritos
tres carabineros vienen,
sus negras capas ceñidas
50 y los gorros en las sienes.

El inglés da a la gitana
un vaso de tibia leche,
y una copa de ginebra
que Preciosa no se bebe.
55 Y mientras cuenta, llorando,
su aventura a aquella gente,
en las tejas de pizarra
el viento, furioso, muerde.

---

40   Verso de saeta popular (cfr. *Saeta,* del *Poema del cante jondo:* «¡Miradlo por dónde viene!»).

41   *sátiro de estrellas bajas:* el viento, tradicional corredor de estrellas (ver: «pulidor de estrellas» en *Veleta,* del *Libro de poemas,* «el divino elemento / que da... / luceros al viento» *(Madrigal de verano* del mismo libro), «... lanzarse con los vientos / a las estrellas blancas» *(Manantial* también del *Libro de poemas)* y otros ejemplos más, se ataca aquí a una doncella del «bajo» mundo terrestre.

3

REYERTA *

A Rafael Méndez **

1 En la mitad del barranco
las navajas de Albacete
bellas de sangre contraria,
relucen como los peces.

5 Una dura luz de naipe
recorta en el agrio verde,
caballos enfurecidos
y perfiles de jinetes.

---

* En manuscritos o ediciones anteriores se le dieron los siguientes títulos: *Batalla campal. Reyerta de mozos; Reyerta de mozos; Reyerta de gitanos.*

** Rafael Méndez (Lorca, 1906), compañero de Lorca en la Residencia de Estudiantes madrileña. Discípulo y colaborador de J. Negrín, fue médico y conocido farmacólogo, catedrático de Sevilla, participó activamente en la vida política durante la guerra civil, para luego instalarse como profesor en Harvard, Chicago y México. Es autor de *Caminos inversos: vivencias de ciencia y guerra* (México, FCE, 1987). Naturalizado mexicano en 1949.

La primera dedicatoria de este romance fue para los amigos catalanes de la revista *L'Amic de les Arts.*

2 *navajas de Albacete:* en Albacete sigue siendo típica la industria de cuchillos, navajas y otros instrumentos metálicos.

3 *sangre contraria:* la sangre enemiga derramada en la lucha.

5 *dura luz de naipe:* los naipes como símbolo tradicional del juego azaroso de la vida y de la muerte, llevan en Lorca una muy marcada connotación mortal.

> En la copa de un olivo
> 10   lloran dos viejas mujeres.
>   El toro de la reyerta
>   se sube por las paredes.
>   Ángeles negros traían
>   pañuelos y agua de nieve.

Este aspecto se ilustra particularmente en toda la escena final de *Así que pasen cinco años,* en la que los jugadores de cartas vienen para beber, con sus cartas, la sangre del Joven: «las cartas beben rica sangre...». Cuando el joven juega su última carta, «en los anaqueles de la biblioteca aparece un "as de coeur" *iluminado*». Los naipes aparecen, además, como instrumentos que cortan, lo que explica tanto su contextualidad con las navajas de la reyerta, como el léxico que los caracteriza (duro, recortar, perfil...). Ver también los «naipes helados» del v. 13 del *Romance del emplazado.*

10   *viejas mujeres:* muchas escenas centrales del *Romancero gitano* tienen extraños espectadores, bien humanos (como aquí las dos viejas, o las tristes mujeres de los vv. 27-31 de *Muerto de amor,* o los hombres del v. 50 del *Romance del emplazado),* bien celestes (como los ángeles de los vv. 13-16 y 35-38, o los serafines del v. 37 de *Muerto de amor,* o los ángeles de los vv. 45-48 de *Muerte de Antoñito el Camborio),* bien animales (como la zumaya de los vv. 29-30 del *Romance de la luna, luna),* bien combinaciones de estas tres categorías. El elemento común a todas estas escenas es la presencia de uno o varios muertos. Todos estos espectadores, que a veces también participan de algún modo en la escena, forman parte del gran acto del velatorio, visto como un monumento fúnebre con personajes vivos, lloronas, coros celestes y humanos, y otros atributos escultóricos o litúrgicos.

11   *el toro de la reyerta:* como en el caso de «buey de agua» (v. 14 del *Romance del emplazado),* el toro sirve de metafórica sugestión de violencia y fuerza mítica. Ver también en *Bodas de sangre* (acto II, cuadro I):

> ¡Como un toro, la boda
> levantándose está!

14   *pañuelos:* para limpiar las heridas («agua de nieve») y parar la sangría, como en la *Canción del gitano apaleado* (vv. 11-12): «¡No habrá pañuelos de seda / para limpiarme la cara!», o en *La zapatera prodigiosa,* acto II:

Vecina roja	Ha corrido la sangre.
Vecina amarilla	No quedan pañuelos blancos.
Vecina roja	Dos hombres como dos soles.
Vecina amarilla	Con las navajas clavadas.

15   Ángeles con grandes alas
     de navajas de Albacete.
     Juan Antonio el de Montilla
     rueda muerto la pendiente,
     su cuerpo lleno de lirios
20   y una granada en las sienes.
     Ahora monta cruz de fuego
     carretera de la muerte.

                    *

     El juez, con guardia civil,
     por los olivares viene.
25   Sangre resbalada gime
     muda canción de serpiente.

_____

y en *Los mozos de Monleón* (de *Cantares populares):*

> Compañeros, yo me muero;
> amigos, yo estoy muy malo;
> tres pañuelos tengo dentro,
> y éste que meto son cuatro.

15-16: *alas-navajas:* hasta la corte celeste que rodea la escena se cubre de características contextuales cortantes y metálicas. Se puede comparar con este verso 19 de *Santiago (Libro de poemas):* «tremolar plateado de alas» y la siguiente afirmación de Lorca en su *Teoría y juego del duende:* «... porque (el ángel) agita sus alas de acero en el ambiente del predestinado».

19-20   *lirios-granada:* metáforas florales para indicar las heridas y demás lesiones sangrientas. El léxico floral para sugerir las manchas de sangre y las heridas se halla en toda la obra de Lorca. Remito, para el caso presente, a dos textos del *Poema del cante jondo:* los vv. 3-4 de *Saeta* («... lirio de Judea / ... clavel de España») y los vv. 5-6 de *Barrio de Córdoba* («con una rosa encarnada / oculta en la cabellera»). Ver igualmente el «rojo lirio» del v. 6 de *Primer aniversario* de *Canciones.*

21-22   Al gitano moribundo y agonizante se le atribuyen rasgos cristológicos de «via crucis».

25-26   *sangre-canción-serpiente:* la analogía metafórica entre los tres términos, basada por un lado en un fenómeno plástico —el rastro serpeante de la sangre— («Hay heridas... manando agua... que se arrastra serpeando calle abajo», en *Albaicín,* de *Impresiones y Paisajes)* y por otro lado en un fenómeno auditivo —los gemidos de la agonía como silbo— («un rumor de

Señores guardias civiles:
aquí pasó lo de siempre.
Han muerto cuatro romanos
30 y cinco cartagineses.

*

La tarde loca de higueras
y de rumores calientes,
cae desmayada en los muslos
heridos de los jinetes.
35 Y ángeles negros volaban
por el aire del poniente.
Ángeles de largas trenzas
y corazones de aceite.

---

serpiente que se arrastra» en *Santa Lucía y San Lázaro)*, conoce en la obra de Lorca varias combinaciones y transformaciones, entre las que toda la segunda parte del *Llanto por Ignacio Sánchez Mejías*, llamada precisamente *La sangre derramada*, ocupa un lugar preferencial: «Y su sangre ya viene cantando... / para formar un charco de agonía...».

Hay resonancias de la metáfora compleja en *Así que pasen cinco años:* «Todavía tengo aquella sangre viva como una sierpe roja...» (acto I), y en *Bodas de sangre* (acto III, cuadro I): «... Que la sangre / me ponga entre los dedos su delicado silbo». Sobre el fondo de todas estas imágenes aparece la serpiente, animal míticamente ligado a la primitiva pero viciada situación paradisíaca.

29-30   *romanos y cartagineses:* sobre el fondo de un posible recuerdo de juventud (la repartición de escolares y estudiantes en facciones rivales), estos personajes dan valor transhistórico a la anécdota, gracias a la equiparación con hechos de la Andalucía romana.

31-34   Participación antropomórfica de la naturaleza a la escena. La tarde, como mujer ebria de olores, colores y sonidos, se abandona a los cuerpos exangües de los gitanos muertos. Imágenes análogas en *Elegía del silencio (Libro de poemas):* «el gran rumor dorado / que cae sobre los montes...», en *San Pedro de Cardeña (Impresiones y Paisajes):* «la tarde desfallecida...», en *El lagarto viejo,* del *Libro de poemas:* «cómo miran la tarde desmayada...» y en *Doña Rosita la soltera* (acto I, en el romance de la rosa): «... se desmaya la tarde...». También en *Thamar y Amnón* hay «rumores de tigre y llama» (v. 4).

4

ROMANCE SONÁMBULO *

A Gloria Giner y a Fernando de los Ríos **

1 Verde que te quiero verde.
    Verde viento. Verdes ramas.
    El barco sobre la mar
    y el caballo en la montaña.

---

* En manuscritos o ediciones anteriores se le dieron los siguientes títulos: *El romance de la pena negra en Granada; La gitana; Romance de Adelaida / Flores y Antonio Amaya. Romance sonámbulo.*

** Gloria Giner García (1887-1970), profesora de historia en la Escuela Normal de Granada, autora de antologías de historia y de geografía *(Cumbres,* sobre personajes históricos, *Romance de los ríos de España),* esposa de Fernando de los Ríos Urruti (1879-1949), catedrático de Derecho Político en las Universidades de Granada y Madrid, varias veces ministro durante la República, embajador en los Estados Unidos, amigo y protector de F. García Lorca, a quien ayudó, por ejemplo, para su viaje a América. Murió en Nueva York. Una hija de la pareja, Laura, se casó con Francisco García Lorca, hermano de Federico.

1 *verde:* aparte una original sugerencia acuática (ver la versión autógrafa del *Primer Romancero gitano* y los versos 73-78), toda una serie de connotaciones simbólicas secundarias se sobreponen a esta referencia primitiva. He analizado este mecanismo de transferencia metafórica en base del texto de un poemita eliminado y poco conocido del *Poema del cante jondo* en «La esquina de la sorpresa»: «Lorca entre el Poema del cante jondo y el Romancero gitano», *Revista de Occidente,* núm. 65 (1986), págs. 15-21.

3-4 *barco / mar - caballo / montaña:* las dos zonas geográficas y emocionales de Andalucía (sierra y mar), como dos tipos y actitudes de vida se repiten en el *Romancero gitano:* en el *Romance de la pena negra,* vv. 16-17, y

5   Con la sombra en la cintura,
    ella sueña en su baranda
    verde carne, pelo verde,
    con ojos de fría plata.
    Verde que te quiero verde.
10 Bajo la luna gitana,
    las cosas la están mirando
    y ella no puede mirarlas.

                      *

    Verde que te quiero verde.
    Grandes estrellas de escarcha,
15 vienen con el pez de sombra
    que abre el camino del alba.
    La higuera frota su viento
    con la lija de sus ramas,
    y el monte, gato garduño,
20 eriza sus pitas agrias.

---

en el *Romance del emplazado,* vv. 3-7. La misma distinción geográfica, pero sin aparentes connotaciones simbólicas, se halla en la oración que reza, al principio de la escena I de la estampa III de *Mariana Pineda,* Isabel la Clavela:

> ... y guarde al hombre en la sierra
> y al marinero en el mar.

8   *ojos de fría plata:* gracias a esta calificación metálica y táctil, las anteriores sugestiones mortales (verde, sombra) se confirman: son ojos muertos (cfr. vv. 11-12).

17-18   Ejemplo muy característico e ilustrativo de las transformaciones metafóricas del universo en la estética lorquiana: en vez de la descripción lógica del viento que soplando frota contra la lija de las ramas de la higuera, las mutuas relaciones de los objetos animados de la naturaleza (sujeto, objeto, posesivo) se invierten.

19-20   *gato garduño:* en vez de aplicar el concepto léxico corriente «gato montés», Lorca invierte una vez más los datos y logra así evocar la falda del monte agresivo, lleno de pitas como un gato salvaje de pelo erizado. *Pita,* del *Poema del cante jondo,* también da una visión de agresividad animal de la misma planta. Las verdes «pitas agrias» vienen igualmente sugeridas en *Reyerta,* v. 6: «en el agrio verde».

¿Pero quién vendrá? ¿Y por dónde?...
Ella sigue en su baranda
verde carne, pelo verde,
soñando en la mar amarga.

*

25   Compadre, quiero cambiar,
mi caballo por su casa,
mi montura por su espejo,
mi cuchillo por su manta.
Compadre, vengo sangrando,
30   desde los puertos de Cabra.
Si yo pudiera, mocito,
este trato se cerraba.
Pero yo ya no soy yo,
ni mi casa es ya mi casa.
35   Compadre, quiero morir
decentemente en mi cama.

---

24   *soñando en la mar amarga:* este verso les sirve mucho a los críticos que interpretan este romance como una expresión de «ansia de Granada por el mar», interpretación que el propio poeta mencionó en más de una ocasión, como, por ejemplo, en su conferencia-recital del *Romancero gitano.* Sin negar esta lectura, Lorca añadió: «Está bien. Es así, pero también es otra cosa». La *Balada del agua del mar,* del *Libro de poemas,* da una clave para la ambigüedad simbólica de este ansia de mar (invitación, promesa de felicidad versus amargura del desamor y de la muerte, punto final de la vida).

26-28   Tres versos de perfecta construcción correlativa que oponen la vida andante peligrosa (caballo-montura-cuchillo) a la sedentaria (casa-espejo-manta).

30   *los puertos de Cabra:* en la provincia de Córdoba. El lugar de procedencia del «mocito» y la llegada de los guardias al final del romance (vv. 81-82) orientan hacia el tema de la contrabanda y del bandolerismo del siglo decimonono. El interés de Lorca por este tema se ve, por ejemplo, en la *Canción de jinete (1860),* de *Canciones.* En una carta del 9 de septiembre de 1926, Lorca le hablaba a J. Guillén de un proyecto literario sobre el célebre bandolero Diego Corrientes, y en *Mariana Pineda* se canta la canción del contrabandista, original de Manuel García (estampa II, escena VIII).

De acero, si puede ser,
con las sábanas de holanda.
¿No ves la herida que tengo
40 desde el pecho a la garganta?
Trescientas rosas morenas
lleva tu pechera blanca.
Tu sangre rezuma y huele
alrededor de tu faja.
45 Pero yo ya no soy yo.
Ni mi casa es ya mi casa.
Dejadme subir al menos
hasta las altas barandas,
¡dejadme subir!, dejadme
50 hasta las verdes barandas.
Barandales de la luna
por donde retumba el agua.

*

Ya suben los dos compadres
hacia las altas barandas.
55 Dejando un rastro de sangre.
Dejando un rastro de lágrimas.
Temblaban en los tejados
farolillos de hojalata.

---

41   *rosas:* manchas de sangre. Ver *Reyerta,* v. 20.

43   *huele:* como en la ya mencionada *Canción de jinete (1860):* «¡Qué perfume de flor de cuchillo!», y en *Mariana Pineda* (estampa I, escena IV): «y entre el olor de la sangre / iba el olor de la sierra».

48-51   *las altas barandas:* Lorca se refirió en una ocasión al «romance sonámbulo» como al *Romance de los barandales altos.* Las altas barandas como lugar propio para la expectación amorosa se hallan también claramente en *Mariana Pineda* (escena final): «¡... Rosa de Andalucía!, / que en las altas barandas tu novio está esperándote». El nexo entre luna, barandas y agua se lee en la canción de la criada del cuadro II del acto II de *Bodas de sangre:* «y la luna se adorne / por su blanca baranda... / y el agua pasaba...».

57-58   Escena análoga a la de *Sorpresa* del *Poema del cante jondo:* «¡Cómo temblaba el farolito / de la calle!».

Mil panderos de cristal,
60   herían la madrugada.

*

Verde que te quiero verde,
verde viento, verdes ramas.
Los dos compadres subieron.
El largo viento, dejaba
65   en la boca un raro gusto
de hiel, de menta y de albahaca.
¡Compadre! ¿Dónde está, dime?
¿Dónde está tu niña amarga?
¡Cuántas veces te esperó!
70   ¡Cuántas veces te esperara
cara fresca, negro pelo,
en esta verde baranda!

*

59-60   El propio Lorca ha comentado estos versos en su conferencia-recital:
«Si me preguntan Ustedes por qué digo yo: "Mil panderos de cristal / herían
la madrugada", les diré que los he visto en manos de ángeles y de árboles,
pero no sabré decir más, ni mucho menos explicar su significado». En otra
ocasión (Barcelona, 9 de octubre de 1935) dijo algo parecido: «Doncs bé, si
em preguntessim de quin lloc he tret aquest "mil panderos de cristal" jo us
diría que els he vistos. En els arbres, en el fullatge, en els ángels, en el cel...».
Como se puede observar, se trata siempre de una visión particular probablemente de las gotas de rocío o de «las estrellas de escarcha» (v. 14) que acom-
pañan auditivamente y visualmente la llegada de la aurora.

66   *hiel, menta y albahaca:* tres sustancias de color verde, con connotación de amargura y desamor. Para «hiel» la connotación es obvia. Para la
menta y la albahaca, se puede referir a *Balcón (Poema del cante jondo)* del
Poema de la saeta, poema del amor-dolor: «Entre la albahaca / y la hierbabuena / la Lola canta / saetas». Lola = Dolores, hierbabuena = la «mentha sa-
tiva»; la albahaca significa, en el «lenguaje de las flores» de *Doña Rosita la
soltera:* «no te querré mientras viva».

69-70   Dos *veces* perfectamente paralelísticos con un sistema de intensi-
ficación emocional, en base de una variación morfológica verbal. Comparar
con *Yerma* (III, 3): «¡Ay, cómo relumbra! / ¡Ay, cómo relumbraba!».

71   *cara fresca, negro pelo:* verso esencial, en contraposición estructural y
cromático-simbólica con los versos 7, 23 y 75: «verde carne, pelo verde», con
lo que se evoca de dos maneras diferentes a la joven gitana, viva y muerta.

Sobre el rostro del aljibe,
se mecía la gitana,
75 Verde carne, pelo verde,
con ojos de fría plata.
Un carámbano de luna,
la sostiene sobre el agua.
La noche se puso íntima
80 como una pequeña plaza.
Guardias civiles borrachos,
en la puerta golpeaban.
Verde que te quiero verde.
Verde viento. Verdes ramas.
85 El barco sobre la mar.
Y el caballo en la montaña.

---

77 *carámbano de luna:* las sugerencias cromáticas blancas (verdes y azules) y táctiles frías (y metálicas) de la luna abundan en la obra de Lorca. Ver, por ejemplo, *La luna y la muerte,* del *Libro de poemas; La luna asoma,* de *Canciones:*

Nadie come naranjas
bajo la luna llena.
Es preciso comer
fruta verde y helada.

y el romance que canta la *Luna* en el tercer acto de *Bodas de sangre:*

¡Dejadme entrar! ¡Vengo helada
por paredes y cristales!
¡... Tengo frío!...
... me lleva la nieve
sobre su espalda de jaspe,
y me anega, dura y fría,
el agua de los estanques.

5

LA MONJA GITANA

A José Moreno Villa *

1   Silencio de cal y mirto.
    Malvas en las hierbas finas.
    La monja borda alhelíes
    sobre una tela pajiza.

---

*   José Moreno Villa (1887-1955), amigo de Lorca del tiempo de la Residencia de Estudiantes, donde residió como tutor entre 1917 y 1936, poeta, ensayista, crítico de arte y pintor, autor de un dibujo de Lorca al piano (1928) y de otro retrato póstumo. Escribió una autobiografía, *Vida en claro* (México, El Colegio de México, FCE, 1944), en la que todo un capítulo trata de su convivencia con los jóvenes de la generación del 27. Lorca le dedicó, igualmente, una breve sección de sus *Primeras Canciones,* llamada *Palimpsestos.* Se puede consultar el catálogo de la exposición *José Moreno Villa (1887-1955)* (ed. Juan Pérez de Ayala, Madrid, Ministerio de Cultura, 1987, págs. 104-106 y *pássim).*

3   *borda alhelíes:* el tema del «bordado de amor» es muy frecuente en la obra lírica y dramática de Lorca. Unos ejemplos de connotación sentimental muy clara: *Amparo* del *Poema del cante jondo,* con ambiente y toques cromáticos muy análogos, la canción popular *Zorongo:*

> Las manos de mi cariño
> te están bordando una capa
> con agremán de alhelíes...

y dentro del teatro, en la escena II de la estampa I de *Mariana Pineda:* «... borda en el cañamazo / rosas, pájaros y letras...» o el bordado de las sábanas al final del acto I de *Doña Rosita la soltera,* el pañuelo bordado «que decía: Amor,

5   Vuelan en la araña gris,
    siete pájaros del prisma.
    La iglesia gruñe a lo lejos
    como un oso panza arriba.
    ¡Qué bien borda! ¡Con qué gracia!
10 Sobre la tela pajiza,
    ella quisiera bordar
    flores de su fantasía.
    ¡Qué girasol! ¡Qué magnolia
    de lentejuelas y cintas!
15 ¡Qué azafranes y qué lunas,
    en el mantel de la misa!

---

amor, amor» del acto II de *Así que pasen cinco años* y los frecuentes trabajos de bordado del ajuar de las hijas de Bernarda Alba. Para el simbolismo erótico de los alhelíes, véase *Yerma,* acto II, cuadro I.

6   *siete pájaros del prisma:* la metáfora visual-cromática se entiende perfectamente a la luz de la «teoría del arco iris» de la *Canción de las siete doncellas* del libro *Canciones.* La descomposición de la luz en siete pájaros se lee explícitamente en los vv. 7-8:

> (En el aire blanco,
> siete largos pájaros).

7-8   Estos versos repiten un procedimiento de animalización ya utilizado anteriormente por Lorca en su suite *Noche,* en el poemita *Madre:*

> La osa mayor
> da teta a sus estrellas
> panza arriba.
> Gruñe
> y gruñe.

12   *flores de su fantasía:* estas fantasías florales tienen evidentes connotaciones de «sexualidad floral», como el propio Lorca ha explicado en su conferencia *La imagen poética en Don Luis de Góngora:* «una sexualidad de estambre y pistilo...». A este respecto hay que notar la contigua presencia de gira*sol* y *lunas,* con sus respectivas sugerencias cromáticas y sexuales. Ver también el verso 28: «La rosa azul de tu vientre» de *Preciosa y el aire,* el verso 34 del *Romance de la pena negra:* «mis muslos de amapola», la flor martirizada del verso 88 de *Thamar y Amnón,* etc. Para el caso concreto de la magnolia se puede referir a *Lucía Martínez,* de *Canciones.*

Cinco toronjas se endulzan
en la cercana cocina.
Las cinco llagas de Cristo
20   cortadas en Almería.
Por los ojos de la monja
galopan dos caballistas.
Un rumor último y sordo
le despega la camisa,

17-20   El paso metafórico de las toronjas, cortadas en Almería, a las llagas de Cristo es cromático (rojo-sangre), comparable a, por ejemplo, los lirios y la granada (heridas) de Juan Antonio, figura cristomórfica de *Reyerta*
(vv. 19-22) o a los agujeros de los clavos del yo crucificado en *Encuentro*
(vv. 8-9) del *Poema del cante jondo* o el lirio y el clavel de *Saeta,* del mismo
libro. Hay que ver también, en el acto I de *Doña Rosita la soltera:*

> Por los diamantes de Dios
> y el clavel de su costado...

y varias alusiones en *Mariana Pineda,* por ejemplo: «... tengo abierta una herida que sangra en mi costado...» (Pedro en el acto II, escena VIII).

22   *dos caballistas:* es así como finalmente se declara la fantasía onírica
amorosa de la monja. Para el juego de espejo de los ojos se puede comparar
con otros ejemplos: *El espejo engañoso* (de *Canciones):*

> ¡Hay en mis pupilas
> dos mares cantando!

Al oído de una muchacha (también de *Canciones):*

> Vi en tus ojos
> dos arbolitos locos.

o en *Mariana Pineda* (I, 4): «Dijo que en tus ojos / había un constante desfile
de pájaros». Dentro del *Romancero gitano* hay que comparar con los vv. 61-
62 de *San Gabriel:*

> Aridos lucen tus ojos,
> paisajes de caballista.

23   *un rumor:* rumor como sugerencia auditiva de secreta presencia en
relaciones amorosas se lee, por ejemplo, en *Madrigal de verano (Libro de
poemas):* «el rumor de tus senos», o en *La soltera en misa* (de *Canciones),*
poema de inspiración religioso-sentimental-irónica muy comparable: «Da
los negros melones de tus pechos / al rumor de la misa».

25 y al mirar nubes y montes
    en las yertas lejanías,
    se quiebra su corazón
    de azúcar y yerbaluisa.
    ¡Oh!, qué llanura empinada
30 con veinte soles arriba.
    ¡Qué ríos puestos de pie
    vislumbra su fantasía!
    Pero sigue con sus flores,
    mientras que de pie, en la brisa,
35 la luz juega el ajedrez
    alto de la celosía.

---

25 y sigs. A partir de aquí se acumulan imágenes de sexualidad paisajís-
tica (llanura empinada, sol, ríos puestos de pie) que continúan la anterior fantasía floral de la monja. Cada una de estas imágenes contiene una simbología
sexual más o menos evidente.

6

LA CASADA INFIEL

A Lydia Cabrera y a su negrita *

1   Y que yo me la llevé al río
    creyendo que era mozuela,
    pero tenía marido.
    Fue la noche de Santiago
5   y casi por compromiso.
    Se apagaron los faroles
    y se encendieron los grillos.

---

*   Lydia Cabrera (1900-1991), novelista y folclorista cubana, autora de libros de cuentos negros. Fue Cabrera por quien se conocieron en 1926 Lorca y Margarita Xirgu, a quien va dedicado el romance del *Prendimiento de Antoñito el Camborio en el camino de Sevilla.* La «negrita» era una colaboradora y doncella suya, llamada Carmela Bejarano. El encuentro de Lorca con Lydia Cabrera y la anécdota de la dedicatoria vienen referidos por A. Josephs y J. Caballero en su edición del *Romancero gitano* (Madrid, Cátedra, pág. 243).

2   *mozuela:* dialectismo para soltera, según M. Alvar, *Poesía dialectal española,* Madrid, Alcalá, 1965, pág. 39.

4   *la noche de Santiago:* la noche del 24 al 25 de julio, día de Santiago, patrono de España. La fecha precisa debe explicar la ocasión de la anécdota y ciertos detalles paisajísticos y climatológicos de la historia narrada. El encanto y el misterio particulares de una noche de Santiago se leen en *Santiago* del *Libro de poemas.* Ver también el *Romance del emplazado* (vv. 42-43) y el poemita *Franja,* de la suite *Noche:*

> El camino de Santiago.
> (Oh noche de mi amor...)

6-7   *faroles-grillos:* al pasar la frontera entre la zona habitada y el campo se pasa de un paisaje visual a otro auditivo. Un procedimiento análogo en

En las últimas esquinas
toqué sus pechos dormidos,
10   y se me abrieron de pronto
como ramos de jacintos.
El almidón de su enagua
me sonaba en el oído,
como una pieza de seda
15   rasgada por diez cuchillos.
Sin luz de plata en sus copas
los árboles han crecido
y un horizonte de perros
ladra muy lejos del río.

*

20   Pasadas las zarzamoras,
los juncos y los espinos,
bajo su mata de pelo
hice un hoyo sobre el limo.
Yo me quité la corbata.
25   Ella se quitó el vestido.
Yo el cinturón con revólver.
Ella sus cuatro corpiños.

Fantasía simbólica: «Las luces de las callejas... se apagaron, y el río Darro, haciendo un arpegio, se puso a cantar...». En *Hora de estrellas* (del *Libro de poemas),* al hablar del canto de los grillos en la noche, el poeta dice textualmente: «luz musical» (v. 12). Y en *Crucifixión* del ciclo de Nueva York se lee: «las ranas encendieron sus lumbres...» (v. 35).

15   *diez cuchillos:* la precisión numérica permite el nexo metafórico entre cuchillos y dedos de la mano. Una visión análoga en *La guitarra,* del *Poema del cante jondo,* versos finales: «Corazón malherido / por cinco espadas».

16   *luz de plata:* para la luz plateada de la luna, ver, entre un sinnúmero de ejemplos, éste del *Romancero gitano:*

Ajo de agónica plata
la luna menguante...

(Muerto de amor, vv. 9-10)

Ni nardos ni caracolas
tienen el cutis tan fino,
30   ni los cristales con luna
relumbran con ese brillo.
Sus muslos se me escapaban
como peces sorprendidos,
la mitad llenos de lumbre,
35   la mitad llenos de frío.
Aquella noche corrí
el mejor de los caminos,
montado en potra de nácar
sin bridas y sin estribos.
40   No quiero decir, por hombre,
las cosas que ella me dijo.
La luz del entendimiento
me hace ser muy comedido.
Sucia de besos y arena
45   yo me la llevé del río.
Con el aire se batían
las espadas de los lirios.
Me porté como quien soy.
Como un gitano legítimo.
50   La regalé un costurero
grande de raso pajizo,
y no quise enamorarme
porque teniendo marido
me dijo que era mozuela
55   cuando la llevaba al río.

---

47   *las espadas de los lirios:* esta imagen de raigambre popular y empleada
por poetas clásicos como Lope de Vega, reaparecerá transformada en *Ruina,* de
Poeta en Nueva York:

> Vienen las hierbas, hijo;
> ya suenan sus espadas de saliva
> por el cielo vacío.

50   *la:* a pesar del manuscrito, de varias ediciones y de una seria duda
personal sobre la legitimidad de este insólito caso de laísmo lorquiano, man-
tengo la forma «la» de la edición príncipe y de todas las ediciones en vida del
autor, menos *Revista de Occidente.*

7

ROMANCE DE LA PENA NEGRA *

A José Navarro Pardo **

1   Las piquetas de los gallos
     cavan buscando la aurora,

Para entender cabalmente la importancia y el sentido de este romance, el más representativo del libro, hay que acordarse del comentario del poeta en su conferencia-recital: «... Soledad Montoya, concreción de la Pena sin remedio, de la pena negra, de la cual no se puede salir más que abriendo con un cuchillo un ojal bien hondo en el costado siniestro. La pena de Soledad Montoya es la raíz del pueblo andaluz... es un ansia sin objeto, es un amor agudo a nada, con una seguridad de que la muerte (preocupación perenne de Andalucía) está respirando detrás de la puerta». Esta pena existencial ya había sido el tema de numerosos textos de Lorca, particularmente del *Poema del cante jondo*. En la conferencia sobre *El cante jondo* dice: «La mujer en el "cante jondo" se llama Pena. Es admirable cómo a través de las construcciones líricas un sentimiento va tomando forma y cómo llega a concrecionarse en una cosa casi material. Este es el caso de la Pena. En las coplas, la Pena se hace carne, toma forma humana y se acusa con una línea definida...». Todavía en 1936, Lorca confirmaba que en el *Romancero gitano* «hay un solo personaje real, que es la pena...» *(El poeta García Lorca y su* Romancero gitano).

** José Navarro Pardo (1893-1971), amigo del Rinconcillo, arabista y catedrático de la Escuela de Estudios Árabes de Granada. Figura entre los amigos colaboradores de la revista *Gallo*. Entre las iniciativas editoriales proyectadas por *Gallo* figuraba una *Antología de los poetas árabes* preparada por J. Navarro Pardo.

1-2   Estos versos, con la metafórica indicación del anuncio del día, provienen de un poema anterior, *Cueva,* primera composición de una sección del *Poema del cante jondo,* luego suprimida: *La bulería de la muerte* (1921).

cuando por el monte oscuro
baja Soledad Montoya.
5   Cobre amarillo, su carne,
huele a caballo y a sombra.
Yunques ahumados sus pechos,
gimen canciones redondas.
Soledad: ¿por quién preguntas
10 sin compaña y a estas horas?
Pregunte por quien pregunte,
dime: ¿a ti qué se te importa?
Vengo a buscar lo que busco,
mi alegría y mi persona.
15 Soledad de mis pesares,
caballo que se desboca,
al fin encuentra la mar
y se lo tragan las olas.
No me recuerdes el mar
20 que la pena negra, brota
en las tierras de aceituna
bajo el rumor de las hojas.
¡Soledad, qué pena tienes!
¡Qué pena tan lastimosa!
25 Lloras zumo de limón
agrio de espera y de boca.

He estudiado algunos aspectos de este poemita en sus relaciones con el *Roman-cero gitano* en: «La esquina de la sorpresa: Lorca entre el Poema del cante jondo y el Romancero gitano», *Revista de Occidente,* núm. 65 (oct. 1986), págs. 9-31.

5   *cobre:* para el simbolismo metálico en relación con los gitanos, ver el *Romance de la luna, luna,* vv. 1 y 26. Ver también la imagen de los «yun-ques» del verso 7.

17-19   Mar, más que geografía, es símbolo de punto definitivamente fi-nal, como en la *Baladilla de los tres ríos,* del *Poema del cante jondo.*

20-22   Todo el *Poema de la siguiriya gitana,* y particularmente *Paisaje* y *El grito,* son la ilustración de esta aserción.

25   *lloras zumo de limón:* Lorca había empleado ya esta sinestética y em-blemática sugerencia de amargura sentimental, causada por falta o ausencia de amor, en *Adelina de paseo* (de *Canciones*). Ver igualmente los versos fi-nales de *Juan Breva* (del *Poema del cante jondo*).

¡Qué pena tan grande! Corro
mi casa como una loca,
mis dos trenzas por el suelo
30   de la cocina a la alcoba.
¡Qué pena! Me estoy poniendo
de azabache, carne y ropa.
¡Ay mis camisas de hilo!
¡Ay mis muslos de amapola!
35   Soledad: lava tu cuerpo
con agua de las alondras,
y deja tu corazón
en paz, Soledad Montoya.

*

Por abajo canta el río:
40   volante de cielo y hojas.
Con flores de calabaza,
la nueva luz se corona.
¡Oh pena de los gitanos!
Pena limpia y siempre sola.
45   ¡Oh pena de cauce oculto
y madrugada remota!

---

34   *muslos de amapola:* para la sexualidad floral, ver el v. 28 de *Preciosa y el aire.*

36   *agua de alondras:* agua clara y fresca del rocío.

40   *volante:* el río visto como metafórico volante multicolor, adornado de reflejos azules (cielo) y verdes (hojas). Esta visión se apoya probablemente en otra metáfora complementaria, no explícita: Soledad Montoya baja por «la falda» del monte (vv. 3-4).

41   *flores de calabaza:* alusión a la luz amarillenta de la madrugada avanzada (ver los vv. 1-2).

8

SAN MIGUEL *
(GRANADA)

A Diego Buigas de Dalmáu **

1   Se ven desde las barandas,
por el monte, monte, monte,
mulos y sombras de mulos
cargados de girasoles.
5   Sus ojos en las umbrías
se empañan de inmensa noche.
En los recodos del aire,
cruje la aurora salobre.

---

*   En manuscritos o ediciones anteriores se le dieron los títulos siguientes: *San Miguel (romance gitano); San Miguel Arcángel (esto es una romería); San Miguel.* Atribución y localización se deben a la típica romería granadina, en 29 de septiembre, a la ermita de San Miguel el Alto (Sacromonte). La estatua barroca del arcángel San Miguel (1675), encima del altar del trascoro, es del escultor Bernardo de Mora (1614-1684). A ambos lados están sendas esculturas de San Gabriel y de San Rafael, formando un tríptico con la de San Miguel.

**   Diego Buigas de Dalmáu, hijo de diplomático, compañero de la Residencia madrileña, más tarde diplomático de carrera como el hermano de Federico, Francisco García Lorca. Aparece entre los participantes en el acto de homenaje a Lorca (22 de octubre de 1927) con motivo del estreno de *La zapatera prodigiosa.*

Un cielo de mulos blancos
10   cierra sus ojos de azogue
dando a la quieta penumbra
un final de corazones.
Y el agua se pone fría
para que nadie la toque.
15   Agua loca y descubierta
por el monte, monte, monte.

*

San Miguel lleno de encajes
en la alcoba de su torre,

---

9   *cielo de mulos blancos:* hay que apuntar la cercanía de varias imágenes del romance con los versos del fragmento del «idilio trágico» llamado *La sirena y el carabinero.* Ambos textos son de 1926. Así, por ejemplo, el v. 17: «La noche disfrazada con una piel de mulos...». Los «mulos blancos» en el cielo, réplica de los mulos oscuros en el monte, son una metafórica visión de las nubes. Más tarde el poeta reelaboraría esta visión en varias ocasiones, por ejemplo en *Poeta en Nueva York:* «... el viento va quebrando / los camellos sonámbulos de las nubes...» *(Norma y paraíso de los negros,* vv. 23-24), «el cielo desembocaba... / manadas de bisontes empujadas por el viento» *(Oda a Walt Whitman,* vv. 14-15) o en el *Llanto por Ignacio Sánchez Mejías,* en la segunda parte, *La sangre derramada,* la luna como «caballo de nubes quietas» (v. 7) y los «toros celestes» (v. 48).

10   *ojos de azogue:* las estrellas, con lo que el poeta continúa la descripción metafórica de los elementos naturales meteorológicos y astronómicos. Para la visión del cielo como espejo con azogue, ver la *Suite de los espejos: El gran espejo,* vv. 1-2: «Vivimos / bajo el gran espejo»; *Reflejo:* «Doña Luna. / (¿Se ha roto el azogue?)...». Para la metáfora estrella-ojo, ver la suite *Noche: Rincón del cielo,* vv. 1-3: «La estrella / vieja / cierra sus ojos...»; *Total,* vv. 5-6: «Las estrellas entornan / sus párpados azules...»; *Un lucero,* vv. 1-2: «Hay un lucero quieto, / un lucero sin párpados». Ver también la *Gacela de la terrible presencia* del *Diván del Tamarit:* «Quiero que la noche se quede sin ojos...» (v. 3).

12   *final de corazones:* el momento último y supremo de la noche (v. 6), cuando la aurora (v. 8) colorea el cielo de rosicler (corazones: cromatismo y emoción colectiva).

17 y sigs.   *encajes, etc.:* sigue ahora una larga serie de detalles (encajes, muslos descubiertos, plumas, efebo, agua colonia...) de la estatua que Lorca describe o interpreta como afeminada o con características sexuales ambiguas.

enseña sus bellos muslos
20 ceñidos por los faroles.
Arcángel domesticado
en el gesto de las doce,
finge una cólera dulce
de plumas y ruiseñores.
25 San Miguel canta en los vidrios;
Efebo de tres mil noches,
fragante de agua colonia
y lejano de las flores.

                        *

El mar baila por la playa,
30 un poema de balcones.
Las orillas de la luna
pierden juncos, ganan voces.
Vienen manolas comiendo
semillas de girasoles,
35 los culos grandes y ocultos
como planetas de cobre.

Ya en *Santiago,* de *Libro de poemas,* el santo peregrino se presentaba: «la cabeza llena de plumajes / y de perlas muy finas el cuerpo. / ... Con bordón de
esmeraldas y perlas / y una túnica de terciopelo».
    21-22   El Arcángel, capitán de las milicias celestes, aparece aquí inmovi-
lizado («domesticado»), el brazo militar, armado de flechas, levantado como
las agujas del reloj. Ver estos versos de *Meditación primera y última* (de *La
selva de los relojes):*
                        la Eternidad
                        está fija en las doce.
    29-30   Estos dos versos, de una riqueza imaginativa particularmente
abundante, ofrecen una visión antropomórfica del mar (movimiento de olas y
sonido) en una combinación del arte gráfico (baile) con el arquitectónico
(balcón) y el literario (poema). Los «balcones» del mar son además una réplica marítima de «las barandas» (v. 1) de la sierra.
    31-32   El mundo nocturno (luna, junco) que cede el paso al día (voces).
Los mismos elementos nocturnos en el *Nocturno esquemático* de *Canciones.* Para el paso de una situación a otra, pero aquí en orden inverso, ver los
vv. 6-7 de *La casada infiel* (de la luz del pueblo a la oscuridad del campo).

Vienen altos caballeros
y damas de triste porte,
morenas por la nostalgia
40 de un ayer de ruiseñores.
Y el obispo de Manila
ciego de azafrán y pobre,
dice misa con dos filos
para mujeres y hombres.

*

45 San Miguel se estaba quieto
en la alcoba de su torre,
con las enaguas cuajadas
de espejitos y entredoses.
San Miguel, rey de los globos
50 y de los números nones,
en el primor berberisco
de gritos y miradores.

---

36   *como planetas de cobre:* con esta comparación explícita siguen las alusiones astronómicas anteriores; se añade aquí el toque metálico tópico del mundo gitano (ver *Romance de la pena negra,* v. 5: «Cobre amarillo, su carne...»).

41   *el obispo de Manila:* de tratarse aquí de un personaje real anecdótico, bien podría referirse al dominico fray Bernardino Nozaleda y Villa, último arzobispo español de Manila (1844-1927), según las investigaciones al respecto de Luis Beltrán Fernández de los Ríos, *La arquitectura del humo: una reconstrucción del Romancero gitano de FGL,* Londres, Tamesis Books, 1986, págs. 109-110. Pero más que la exacta identidad del personaje histórico importa su papel de representante de un «ayer» mitificado.

50   *números nones:* San Miguel, a pesar de estar fijo en la actitud de las doce del reloj, se considera como defensor de la buena suerte de los números impares en loterías y rifas, como la de su día, el 29 de septiembre.

51-52   La casi totalidad de los elementos léxicos de estos dos versos (primor, aspecto berberisco-arabesco, miradores) con numerosos otros datos temáticos y ambientales de este romance granadino encuentran un eco muy claro en conferencia lorquiana de 1926, *Homenaje a Soto de Rojas,* autor del poema granadino por excelencia, según Lorca: *Paraíso cerrado para muchos, jardín abierto para pocos.*

9

SAN RAFAEL
(CÓRDOBA)*

*A Juan Izquierdo Croselles***

I

1 Coches cerrados llegaban
a las orillas de juncos
donde las ondas alisan
romano torso desnudo.

---

* Muchos detalles materiales del romance se entienden, por una parte, a partir de la historia bíblica del libro de Tobías (capítulos 5 a 12), y, por otra parte, a partir de la iconografía propia del arcángel patrono de Córdoba. Varias estatuas y cuadros del ángel peregrino se hallan en diferentes lugares de la capital andaluza (romana y musulmana), particularmente a orilla del río Guadalquivir y en el antiguo puente romano (v. 23).

** Juan Izquierdo Croselles, amigo del Rinconcillo granadino, coronel de artillería y técnico de explosivos, geógrafo, autor, con su hermano Joaquín, de un *Texto-Atlas de Geografía Universal,* Madrid, Artes Gráficas, sin año. Después de la guerra civil se trasladó a México.

1 *coches:* coches o tal vez barcos, como en *Son de negros en Cuba,* de *Poeta en Nueva York:* «iré a Santiago / en un coche de aguas negras».

4 *romano torso:* varios elementos arqueológicos (también v. 17: «pie de mármol», v. 22: «arcos de triunfo», vv. 23-24: «puente... Neptuno», v. 40: «los mármoles», v. 42: «solitaria columna») forman parte de la evocación del cuadro geográfico-histórico, exactamente como en el *Martirio de Santa Olalla* (por ejemplo, vv. 9-10).

5   Coches, que el Guadalquivir
    tiende en su cristal maduro,
    entre láminas de flores
    y resonancias de nublos.
    Los niños tejen y cantan
10 el desengaño del mundo
    cerca de los viejos coches
    perdidos en el nocturno.
    Pero Córdoba no tiembla
    bajo el misterio confuso,
15 pues si la sombra levanta
    la arquitectura del humo,
    un pie de mármol afirma
    su casto fulgor enjuto.
    Pétalos de lata débil
20 recaman los grises puros
    de la brisa, desplegada
    sobre los arcos de triunfo.
    Y mientras el puente sopla
    diez rumores de Neptuno,
25 vendedores de tabaco
    huyen por el roto muro.

---

6 *cristal:* en base de este cristal-espejo del agua se establecen todo un juego de reflejos y una teoría de doble arquitectura que atraviesa todo el romance (ver los vv. 7-8, 15-18, 27-30, 47-50).

9 *los niños:* una constante de la iconografía de San Rafael, acompañante y protector del joven Tobías, considerado por esto como ángel custodio de los niños. En el *Romance del emplazado* también los muchachos se bañan en el río (vv. 14-17).

15-18 Las dos Córdobas, la inquietante, confusa, blanda y misteriosa arquitectura de agua y nieblas nocturnas, lugar de encuentro de gentes extrañas (para muchos críticos, el mundo de los pederastas), y la firme, celeste, enjuta y fría arquitectura de las estatuas y del mármol.

19-26 El encuentro de elementos de alta calidad histórica y mítica (arcos de triunfo, puente romano con sus arcos, Neptuno) con otros de la actualidad más vulgar (lata, tabaco, el muro roto) era uno de los propósitos declarados del poeta.

II

    Un solo pez en el agua
    que a las dos Córdobas junta:
    Blanda Córdoba de juncos.
30 Córdoba de arquitectura.
    Niños de cara impasible
    en la orilla se desnudan,
    aprendices de Tobías
    y Merlines de cintura,
35 para fastidiar al pez
    en irónica pregunta
    si quiere flores de vino
    o saltos de media luna.
    Pero el pez que dora el agua
40 y los mármoles enluta,
    les da lección y equilibrio
    de solitaria columna.
    El Arcángel aljamiado
    de lentejuelas oscuras,
45 en el mitin de las ondas
    buscaba rumor y cuna.

*

---

27   *pez:* el detalle iconográfico más característico para San Rafael en su viaje con Tobías.

34 *Merlines de cintura:* delgados y hechiceros, representados como en un círculo mágico de agua, comparable al que aprisionaba al propio Merlín.

37-38 La alternativa propuesta para el fastidio que le causan al pez inmóvil los niños parece poder explicarse por un doble posible motivo del baño: bien quieren enturbiarle al pez el agua del río (v. 37), bien le quieren molestar moviendo las aguas con sus ejercicios de natación (v. 38, con una connotación del mundo árabe: «media luna»).

39-40 El pez metálico de la estatua brilla reflejado en el agua (v. 39), pero ensucia el mármol por oxidación (v. 40).

43 *el Arcángel aljamiado:* según las palabras del poeta en su conferencia-recital: «San Rafael, arcángel peregrino que vive en la Biblia y en el Korán, quizás más amigo de musulmanes que de cristianos, que pesca en el río de Córdoba».

Un solo pez en el agua.
Dos Córdobas de hermosura.
Córdoba quebrada en chorros.
50   Celeste Córdoba enjuta.

10

SAN GABRIEL *
(SEVILLA)

A D. Agustín Viñuales **

I

1   Un bello niño de junco,
    anchos hombros, fino talle,
    piel de nocturna manzana,
    boca triste y ojos grandes,

---

* Como para el romance anterior, un episodio bíblico, el de la Anunciación (Luc. I, 26-38), con su iconografía tradicional, da la clave de lectura del trasfondo de la anécdota.

** Agustín Viñuales (1881-19?), originario de Huesca, catedrático de Economía Política en la Universidad de Granada. Único dedicatario del libro con tratamiento de cortesía (Don), profesor que fue de Lorca en Granada. Ministro de Hacienda en la época de la República. Por una anécdota contada por el poeta en una carta a Jorge Guillén *(Epistolario II,* pág. 122) del año 1928, se aprecia mejor tanto la amistad como la deferencia de Lorca para con su antiguo profesor.

1   *niño de junco:* niño en el sentido andaluz de joven soltero. Gracia, hermosura (v. 1), esbeltez y gallardía (vv. 2, 12, 33) son elementos del «juncalismo» gitano. Uno puede comparar con esta expresión de *La zapatera prodigiosa,* hablando de su marido: «Que a pesar de sus cincuenta y tantos años... me resulta más juncal y torerillo que todos los hombres del mundo» (escena final). La descripción de San Gabriel se acerca mucho a los tópicos lorquianos para los toreros sevillanos:

5   nervio de plata caliente,
    ronda la desierta calle.
    Sus zapatos de charol
    rompen las dalias del aire,
    con los dos ritmos que cantan
10 breves lutos celestiales.
    En la ribera del mar
    no hay palma que se le iguale,
    ni emperador coronado
    ni lucero caminante.
15 Cuando la cabeza inclina
    sobre su pecho de jaspe,
    la noche busca llanuras
    porque quiere arrodillarse.

Pasaron tres torerillos
delgaditos de cintura...
Vente a Sevilla, muchacha.

(Arbolé, arbolé)

Sevilla es una torre
llena de arqueros finos.

(Sevilla)

5   *nervio de plata:* imagen de tensión, como de una cuerda metálica o de
un instrumento musical. Ver el v. 6 de *Thamar y Amnón:* «nervios de metal
sonaban».

7-10   Tanto el color negro y la misma materia de los zapatos como la simbología funesta de las flores hacen inteligible la fúnebre premonición («lutos») de la visita del arcángel. Para el charol se puede comparar con el v. 7
«con el alma de charol» del *Romance de la Guardia civil española.* Las dalias
conllevan siempre sugestiones negativas: ver el soneto *Yo sé que mi perfil...:*
«el sinfín de dalias doloridas», y la lamentación en *Yerma* (acto II, cuadro II):
«... pido un hijo que sufrir, y el aire / me ofrece dalias de dormida luna».

Lo mismo en *Doña Rosita la soltera,* en el lenguaje de las flores: «desdén
esquivo, la dalia», y en *Thamar y Amnón,* v. 44.

11-14   Hay que comparar estos versos con la loa de Ignacio Sánchez Mejías, la segunda parte *La sangre derramada:*

No hubo príncipe en Sevilla
que comparársele pueda,
ni espada como su espada
ni corazón tan de veras.

Las guitarras suenan solas
20 para San Gabriel Arcángel,
domador de palomillas
y enemigo de los sauces.
San Gabriel: El niño llora
en el vientre de su madre.
25 No olvides que los gitanos
te regalaron el traje.

II

Anunciación de los Reyes
bien lunada y mal vestida,
abre la puerta al lucero
30 que por la calle venía.
El Arcángel San Gabriel
entre azucena y sonrisa,
biznieto de la Giralda
se acercaba de visita.

---

21   *palomillas:* alusión graciosa al Espíritu Santo, representado bajo
forma de paloma en todas las escenas de anunciación.

23-24   Hay que leer estos dos versos en contraste con los vv. 63-64. La
primera vez se evoca al niño que llora, pidiendo por venir al mundo, como en
la canción de *Yerma* (acto I, cuadro I), mientras que en los versos finales el
mensaje del ángel se ha realizado.

26   *el traje:* alusión a una costumbre corriente y muy popular de vestir a
los santos.

28   *bien lunada y mal vestida:* la corrección del texto original manuscrito
mal lunada y bien vestida permite una lectura de *bien lunada* que, al lado de
una nota caracterial (de buen humor, alegre), también ofrece una característica somática: la negligencia vestimentaria descubre la(s) luna(s) de su(s) pe-
cho(s) (cfr. v. 57), lo que introduce otra vez una señal de mal agüero en esta
escena. Para el paso metafórico luna-pecho, ver, por ejemplo, *Thamar y Amnón,* vv. 33-36, o la *Fábula y rueda de los tres amigos,* de *Poeta en Nueva
York:* «Diana es dura / pero a veces tiene los pechos nublados».

32   *azucena:* este símbolo tradicional y culto de la pureza es otra constante iconográfica en las representaciones de la Anunciación.

33   *la Giralda:* además de ser un evidente detalle de la arquitectura sevi-
llana, contiene una nueva alusión a la esbeltez y finura del gitano anunciador,

35 En su chaleco bordado
    grillos ocultos palpitan.
    Las estrellas de la noche,
    se volvieron campanillas.

«padre de la propaganda que planta sus azucenas en la torre de Sevilla», según el comentario del propio poeta.

36 *grillos ocultos palpitan:* manifestación metafórica de la agitación y del calor del deseo reprimido (cfr. v. 41: «fulgor»). En una versión suprimida de *La monja gitana* se leía para un sentimiento amoroso análogo:

> Y siente por sus espaldas
> un negro chorro de hormigas

> (vv. 26-27)

También en *Thamar y Amnón,* la «carne quemada» de Amnón experimenta «avispas y vientecillos» (vv. 62-63). En *Cigarra,* del *Libro de poemas,* se halla, además, un nexo explícito con el Espíritu Santo:

> ¡Cigarra!
> ¡Dichosa tú!
> pues te envuelve con su manto
> el propio Espíritu Santo,
> que es la luz.

en un contexto muy próximo al himno litúrgico *Veni, Sancte Spiritus.* Ver también el v. 55: «¡Ay San Gabriel que reluces!»

37-40   Hay que considerar la metamorfosis astro-floral de los vv. 37-38, junto con la paralela de los versos finales 69-70:

> Las estrellas de la noche
> se volvieron siemprevivas.

El simbolismo floral de la siempreviva se da a conocer en más de una ocasión en la obra de Lorca, muy claramente, en la canción sobre el lenguaje de las flores en el acto II de *Doña Rosita la soltera:*

> la siempreviva te mata.

> Siempreviva de la muerte,
> flor de las manos cruzadas...

Este simbolismo de mal agüero para el final del romance, apoyado por el verso 66: «Tres balas de almendra verde», permite leer en contraste la metamorfosis del v. 38, con las campanillas, y el verso 40 «con tres clavos de alegría». Así como la alegría del momento de la anunciación (v. 40) se opone a la amarga perspectiva de la pasión futura (v. 65), la primera metamorfosis astral (campanillas) debe oponerse a la segunda (siemprevivas) como fiesta a luto (nacimiento celebrado versus pasión y muerte). En este sentido este romance

San Gabriel: Aquí me tienes
40   con tres clavos de alegría.
Tu fulgor abre jazmines
sobre mi cara encendida.
Dios te salve, Anunciación.
Morena de maravilla.
45   Tendrás un niño más bello
que los tallos de la brisa.
¡Ay San Gabriel de mis ojos!
¡Gabrielillo de mi vida!
para sentarte yo sueño
50   un sillón de clavellinas.
Dios te salve, Anunciación,
bien lunada y mal vestida.
Tu niño tendrá en el pecho
un lunar y tres heridas.
55   ¡Ay San Gabriel que reluces!
¡Gabrielillo de mi vida!

---

ofrece una nueva ilustración del tema lorquiano de la doble cara de Sevilla:
felicidad y dolor (cfr. mi análisis del *Poema de la saeta,* en FGL, *Poema del
cante jondo,* págs. 118-122). Existen estatuas del niño Jesús, rodeado de una
calavera y de los instrumentos de la pasión.

40   *tres clavos:* como las tres heridas del v. 54 y las tres balas de almendra del v. 65. Otro detalle real con interpretación simbólica.

41   *jazmines:* blancura para refrescar el fuego (v. 42). Para el valor emblemático del jazmín, ver *Amparo,* del *Poema del cante jondo; La sangre
derramada,* del *Llanto,* vv. 11-13:

> Que mi recuerdo se quema.
> ¡Avisad a los jazmines
> con su blancura pequeña!

Pero también dolor: «jazmín de pena», «jazminero desangrado» *(Doña Rosita la soltera)* y fidelidad amorosa: «Dice el jazmín: Seré fiel» (acto II).

50   *clavellinas:* en la larga gama de flores de este romance que contiene
un verdadero lenguaje de las flores, la flor emblemática del amor.

54   *un lunar y tres heridas:* clara profecía de las llagas de Cristo. La
selección del término «lunar» en compañía de las heridas demuestra otra
vez la funesta connotación de la luna. Otra reminiscencia del «niño de la
pasión».

En el fondo de mis pechos
ya nace la leche tibia.
Dios te salve, Anunciación.
60 Madre de cien dinastías.
Aridos lucen tus ojos,
paisajes de caballista.

*

El niño canta en el seno
de Anunciación sorprendida.
65 Tres balas de almendra verde
tiemblan en su vocecita.

Ya San Gabriel en el aire
por una escala subía.
Las estrellas de la noche
70 se volvieron siemprevivas.

---

60 *madre de cien dinastías:* remite a la profecía del porvenir de sufrimiento para los descendientes sin número de este árbol genealógico de la
pena.

61 *áridos:* oxímoron con «cien dinastías».

61-62 Evocación visionaria del deseo soñado y negado, comparable al
sueño de *La monja gitana,* vv. 21-22.

63 *el niño canta:* en contraste y complemento de los vv. 23-24.

65 *tres balas de almendra:* en contraste con el v. 40.

68 *por una escala subía:* inspirado en el episodio bíblico del sueño de
Jacob (Gén. XXVIII, 12).

70 *siemprevivas:* ver los vv. 37-38.

11

PRENDIMIENTO DE ANTOÑITO EL CAMBORIO
EN EL CAMINO DE SEVILLA *

*A Margarita Xirgu***

1 Antonio Torres Heredia,
hijo y nieto de Camborios,
con una vara de mimbre
va a Sevilla a ver los toros.

---

* En manuscritos o ediciones anteriores se le dieron los siguientes títulos: *Prendimiento de Antoñito el Camborio en el camino de Sevilla (romance gitano); Prendimiento de Antoñito el Camborio.* El término «prendimiento» tiene aquí resabor religioso de escena de la pasión de Cristo, sobre todo dentro del contexto del romance anterior (nacimiento y profecía de la pasión de Jesucristo) y el siguiente (pasión y muerte).

** Margarita Xirgu (1888-1969), famosa actriz y amiga de Lorca desde 1926. Estrenó en Barcelona y luego en Madrid, en el año 1927, su *Mariana Pineda.* Lorca le dedicó además esta obra: «A la gran actriz Margarita Xirgu». Más tarde llevaría a la escena también otras obras de Lorca, como *La zapatera prodigiosa* (1930), *Yerma* (1934), *Doña Rosita la soltera* (1935), *Bodas de Sangre* (1935) y póstumamente *La casa de Bernarda Alba* (1945). Vivió en América del Sur desde 1936 y murió en Montevideo.

3 *con una vara de mimbre:* esta particular señal de dignidad y de elegancia que cuadra perfectamente bien con la presentación casi dinástica (v. 2) de Antoñito, prototipo del gitano andaluz lorquiano, tiene un eco en un retrato de caballero de *La zapatera prodigiosa,* acto I: «Emiliano, que venía montado en una jaca negra... con una varilla de mimbre en su mano y las espuelas de cobre reluciente». A Antoñito se la van a quitar (v. 27), a Jesucristo se la pusieron de burla.

5   Moreno de verde luna
anda despacio y garboso.
Sus empavonados bucles
le brillan entre los ojos.
A la mitad del camino
10 cortó limones redondos,
y los fue tirando al agua
hasta que la puso de oro.
Y a la mitad del camino,
bajo las ramas de un olmo,
15 guardia civil caminera
lo llevó codo con codo.

*

5 *moreno de verde luna:* el color moreno es tópico del mundo gitano lorquiano (ver *San Miguel,* v. 39; *San Gabriel,* v. 44, etc.). La calificación «de verde luna», en el contexto del *Romancero gitano,* conlleva toda la carga funesta premonitoria que le da, por ejemplo, el *Romance sonámbulo.* En el segundo romance de Antoñito, *Muerte de Antoñito el Camborio,* se repite exactamente la misma calificación en el v. 21. «Moreno de luna» y expresiones análogas se hallan además en varios textos: *Primer aniversario (Canciones):* «Morena de luna llena» (v. 7); *Normas I (Poemas sueltos):* «morenas de luna en vilo» (v. 7); en una carta a José Bello, verano de 1925 *(Epistolario I,* pág. 115): «me pongo moreno de sol y de luna llena...». La expresión «moreno de verde luna» llegó a ser una especie de *epitheton ornans* para el propio poeta en boca de los que le identificaban más o menos con su obra: ver, por ejemplo, J. Chabás, en *Voz* (Madrid, 3 de septiembre de 1934), *Vacaciones de la Barraca:* «F. García Lorca, moreno de luna verde, va a Granada, a descansar...», o Nic. González-Deleito, en *Escena* (Madrid, mayo de 1935), *F. García Lorca y el teatro de hoy:* «... El autor del *Romancero gitano...* moreno de luna verde, ha dado estas seis enjundiosas respuestas...».

13 *y a la mitad del camino:* la tradicionalidad popular de este verso, como el v. 9, el 4 y otros más, fue comprobada por la existencia de numerosas coplas, como la siguiente, sacada por J. C. Forster, «Posibles puntos de partida para dos poemas de Lorca, *Romance Notes»,* vol. XI (1969-70, págs. 498-500):

> Una malagueña fue
> a Sevilla a ver los toros
> y a la mitá del camino
> la cautivaron los moros.

Hay que señalar además la coincidencia de la rima.

> El día se va despacio,
> la tarde colgada a un hombro,
> dando una larga torera
> 20 sobre el mar y los arroyos.
> Las aceitunas aguardan
> la noche de Capricornio,
> y una corta brisa, ecuestre,
> salta los montes de plomo.

---

19 *una larga torera:* la larga es un lance de la tauromaquia que consiste en torear con la capa extendida. Importa aquí la visión particular del fenómeno natural del ocaso como un paso de una corrida: la naturaleza ofrece el espectáculo taurino del que el héroe quedó frustrado. El nexo metafórico debe ser el color rojo, común al capote y al crepúsculo. Hay que comparar esta visión taurina y sangrienta con otra que se lee en una *Canción* (para Alfredo Mario Ferreiro):

> Y yo con la tarde
> sobre mis hombros
> como un corderito
> muerto por el lobo...

Imagen análoga, pero no taurina, sino de buen pastor con el cordero ensangrentado sobre el hombro. En *Campo (Libro de poemas)* Lorca ya decía:

> Tiene sangre reseca
> la herida del ocaso.

> (vv. 5-6)

22 *la noche de Capricornio:* la noche del 22 de diciembre, solsticio de invierno, era para los primeros cristianos la primitiva noche de Navidad, en la que, según Josette Blanquat, se consagraban los santos óleos («Mithra et la Rome andalouse...», *Revue de Littérature Comparée,* vol. XXXVII [1963], pág. 338).

23-24 La imagen ecuestre es frecuente en la obra de Lorca para evocar fenómenos de la naturaleza. Ver, por ejemplo, *Mi niña se fue a la mar:*

> El cielo monta gallardo
> el río, de orilla a orilla.

> (v. 13-14)

o en la escena VI de la estampa III de *Mariana Pineda:*

> Pedro, coge tu caballo
> y ven montado en el día.

y en la *Canción de jinete (1860), de Canciones:*

> La noche espolea
> sus negros ijares
> clavándose estrellas.

> (vv. 16-18)

25   Antonio Torres Heredia
      hijo y nieto de Camborios,
      viene sin vara de mimbre
      entre los cinco tricornios.
      Antonio, ¿quién eres tú?
30   Si te llamaras Camborio,
      hubieras hecho una fuente
      de sangre, con cinco chorros.
      Ni tú eres hijo de nadie,
      ni legítimo Camborio.
35   ¡Se acabaron los gitanos
      que iban por el monte solos!
      Están los viejos cuchillos,
      tiritando bajo el polvo.

                    *

      A las nueve de la noche
40   lo llevan al calabozo,
      mientras los guardias civiles
      beben limonada todos.
      Y a las nueve de la noche
      le cierran el calabozo,
45   mientras el cielo reluce
      como la grupa de un potro.

---

33   *hijo de nadie:* despectivo, en oposición con los vv. 2 y 26.
42   *limonada:* en irónico contraste con la acción recriminada de los
vv. 10-12.
46   *potro:* ver la nota a los vv. 23-24.

12

MUERTE DE ANTOÑITO EL CAMBORIO

A José Antonio Rubio Sacristán *

1   Voces de muerte sonaron
cerca del Guadalquivir.
Voces antiguas que cercan
voz de clavel varonil.

---

* José Antonio Rubio Sacristán (1903), compañero de cuarto de Lorca en la Residencia de Estudiantes en Madrid, estudioso de historia y de derecho, más tarde catedrático de La Laguna. Residió algún tiempo en los Estados Unidos, donde Lorca volvería a encontrarle. Contó la historia de la redacción de este romance: «... una noche fría de invierno, Federico se acostó temprano y allí en la cama redactó *Muerte de Antoñito el Camborio...*» (Jorge Guillén, *Federico en persona,* en FGL, *Obras completas,* Madrid, Aguilar, I, pág. LX).

Le debo a la amabilidad y buena memoria de J. A. Rubio Sacristán muchos datos referidos en mis notas a las dedicatorias del libro.

4   *clavel:* el clavel es en la obra de Lorca bien emblema de amor apasionado, bien metáfora de sangre o de herida sangrienta, bien de ambos casos a la vez. En *Saeta,* del *Poema del cante jondo,* Cristo en agonía, cubierto de sangre y llagas, se dice: «clavel de España». El mismo sentido en una réplica del Primo del acto I de *Doña Rosita la soltera:*

> Por los diamantes de Dios
> y el clavel de su costado...

5   Les clavó sobre las botas
     mordiscos de jabalí.
     En la lucha daba saltos
     jabonados de delfín.
     Bañó con sangre enemiga
10   su corbata carmesí,
     pero eran cuatro puñales
     y tuvo que sucumbir.
     Cuando las estrellas clavan
     rejones al agua gris,

---

y en la oración de *Mariana Pineda* (estampa I):

> ¡Señor, por la llaga de vuestro costado!
> Por las clavelinas de su dulce sangre...

Es en este sentido de herida ensangrentada como hay que interpretar aquí el clavel. Para la «voz» del clavel-sangre, cfr. *Reyerta,* vv. 25-26 y la nota explicativa, en particular los versos de *La sangre derramada.*

13-14   *las estrellas clavan / rejones al agua:* nueva visión metafórica taurina, con que la naturaleza, como en el romance anterior (vv. 17-20), participa a la acción que aquí es una lucha violenta. Existen en la obra de Lorca varios antecedentes de esta visión: *Paisaje (Libro de poemas):*

> Ya es de noche y las estrellas
> clavan puñales al río...
>
> (vv. 49-50);

Verlaine (Canciones):

> ... la luna picaba
> con un rayo en el agua.
>
> (vv. 8-9);

Segundo aniversario (Canciones):

> La luna clava en el mar
> un largo cuerno de luz.
>
> (vv. 1-2);

y en *Mariana Pineda:*

> Noche temida y soñada
> que me hieres ya de lejos
> con larguísimas espadas!

15   cuando los erales sueñan
      verónicas de alhelí,
      voces de muerte sonaron
      cerca del Guadalquivir.

                    *

      Antonio Torres Heredia,
20   Camborio de dura crin,
      moreno de verde luna,
      voz de clavel varonil:
      ¿Quién te ha quitado la vida
      cerca del Guadalquivir?
25   Mis cuatro primos Heredias
      hijos de Benamejí.

---

16   *verónicas de alhelí:* otra imagen taurina. La verónica es un lance con
la capa extendida hacia adelante. Tal vez intervenga aquí igualmente, dentro
de una presentación cristomórfica del héroe, el sentido religioso del paño con
el que Verónica le quitó la sangre y el sudor a Cristo durante su vía crucis.
Como en el romance anterior, el nexo metafórico es aquí también cromático
(cfr. clavel - sangre - carmesí). Ver: *Doña Rosita la soltera,* acto I:

>   que me están abriendo heridas
>   rojas como el alhelí.

Y en *Yerma:*

>   Yo alhelíes rojos
>   y él rojo alhelí.

>   (acto II)

20   *crin:* gracias a esta nueva calificación, continúa la metamorfosis zoo-
morfa del héroe, iniciada en los vv. 6-8: «mordiscos de jabalí» y «saltos de
delfín».
21   *moreno de verde luna:* cfr. v. 5 de *Prendimiento de Antoñito...*
26   *Benamejí:* población de la provincia de Córdoba, en la vega del Ge-
nil, que aparece en la canción del gitano de la *Escena del teniente coronel de
la Guardia civil* (del *Poema del cante jondo):*

>   Cazorla enseña su torre
>   y Benamejí la oculta.

Lo que en otros no envidiaban,
ya lo envidiaban en mí.
Zapatos color corinto,
30   medallones de marfil,
y este cutis amasado
con aceituna y jazmín.
¡Ay Antoñito el Camborio
digno de una Emperatriz!
35   Acuérdate de la Virgen
porque te vas a morir.
¡Ay Federico García!
llama a la Guardia civil.
Ya mi talle se ha quebrado
40   como caña de maíz.

*

Tres golpes de sangre tuvo,
y se murió de perfil.

---

29   *corinto:* color de las pasas de la parra de Corinto, rojo violado.
32   *aceitunas y jazmín:* sugestiones cromáticas (verde-blanco), táctiles
(aceite, tez blanda) y olfáticas (afeites y perfumes).
37   *Federico García:* la mención explícita del nombre propio le transforma al poeta en narrador intradiegético, no sólo en este romance, sino del
Romancero gitano entero. Lorca le daba bastante importancia a este fenómeno literario: «... uno de sus héroes más netos, Antoñito el Camborio, el único
de todo el libro que me llama por mi nombre en el momento de su muerte»
(Conferencia-recital). El poeta, además de ser testigo ocular de la historia
gitano-andaluza, es parte integrante de su universo.
42   *de perfil:* el término es tópico del vocabulario lorquiano de cuerpo
presente. Unos ejemplos claros: el soneto *Yo sé que mi perfil será tranquilo
(Poemas sueltos); Alma ausente* (correlario de *Cuerpo presente),* del *Llanto
por Ignacio Sánchez Mejías,* v. 18: «Yo canto para luego tu perfil...»; el soneto *A Mercedes en su vuelo,* v. 7: «tu perfil es perenne quemadura...»;
Ruina, de *Poeta en Nueva York,* vv. 28-30:

Prepara tu esqueleto:
hay que buscar de prisa, amor, de prisa,
nuestro perfil sin sueño

Viva moneda que nunca
se volverá a repetir.
45   Un ángel marchoso pone
su cabeza en un cojín.
Otros de rubor cansado,
encendieron un candil.
Y cuando los cuatro primos
50   llegan a Benamejí,
voces de muerte cesaron
cerca del Guadalquivir.

En una versión neoyorquina del poema *Las seis cuerdas* (del *Poema del cante jondo*) se leía:

> El perfil de las almas
> perdidas...

En *Teoría y juego del duende* se lee, entre otras varias sugestiones válidas para la interpretación del *Romancero gitano,* ésta: «Un muerto en España está más vivo como muerto que en ningún sitio del mundo: hiere su perfil como el filo de una navaja barbera».

«De perfil» también figuran los personajes en las monedas (cfr. v. 43).

43   *moneda:* en oxímoron con el verso anterior: «se murió» - «viva moneda»; esta abalanza épica contrasta violentamente con los reproches del romance anterior (v. 29-38).

45-48   Ceremonias de velatorio para un yacente.

13

MUERTO DE AMOR

*A Margarita Manso**

1   ¿Qué es aquello que reluce
    por los altos corredores?
    Cierra la puerta, hijo mío,
    acaban de dar las once.

---

  * Margarita Manso, amiga de Lorca de los años 1927-1928 madrileños, pintora de la escuela de Bellas Artes de San Fernando. A partir de la segunda edición (1929) del *Romancero gitano,* la dedicatoria se suprime sin sustituirse por ninguna otra.

  1-2 Versos de claro raigambre tradicional, como lo comprueban, por ejemplo, este fragmento de una saeta, citada por E. F. Stanton *(FGL and «cante jondo»):* «¿Qué es aquello que reluce / por cima del sacromonte?», y el romance de Abenámar: «¿Qué castillos son aquéllos? / Altos son y relucían...».

  El propio Lorca había escrito ya en su *Palimpsestos III Corredor* (de las *Primeras canciones):*

> Por los altos corredores
> se pasean los señores.
>
> (vv. 1-2)

  Como en el *Romance sonámbulo* (las altas barandas de los vv. 48-54) y en *Mariana Pineda* («las altas barandas», escena final), estos altos corredores parecen ser el topos para el encuentro amoroso imposible.

5   En mis ojos, sin querer,
      relumbran cuatro faroles.
      Será que la gente aquella,
      estará fregando el cobre.

                    *

      Ajo de agónica plata
10   la luna menguante, pone

---

5   *en mis ojos:* como en *La monja gitana,* v. 21, y en *San Gabriel,* vv. 61-62, los ojos ofrecen el reflejo del mundo ausente o soñado.

6   *cuatro faroles:* ¿elementos reales de un velatorio, como en *Sorpresa* (del *Poema del cante jondo)* o en *Historia de este gallo:* «Cuatro cirios... Nadie en su entierro», o metafóricos y mortíferos reflejos metálicos de la luna (cfr. vv. 9-12), como en el *Romance sonámbulo?*

> Temblaban en los tejados
> farolillos de hojalata
>
> (vv. 57-58)

9   *ajo de agónica plata:* descripción metafórica de la luna menguante, basada en múltiples y entreverados nexos: la forma (un diente de ajo), color y reflejo metálico (plata), función de instrumento metálico mortífero (agónico). Comparar con los vv. 13-14 de *Muerte de Antoñito el Camborio,* con la nota y estos versos de *Segundo aniversario:*

> La luna clava en el mar
> un largo cuerno de luz.

Para la luz plateada, verdadero tópico, ver, por ejemplo, *Arlequín* y *La luna asoma,* de *Canciones,* y *La casada infiel,* v. 16.

10   *La luna menguante:* el misterio particular de una noche de luna menguante como ésta viene ilustrado por un precedente del *Libro de poemas: Santiago* (vv. 25-28):

> Es la noche de luna menguante.
> ¡Escuchad! ¿Qué se siente en el cielo,
> que los grillos refuerzan sus cuerdas
> y dan voces los perros vegueros?

Las coincidencias con el romance son múltiples: noche de luna menguante, preguntas sobre el misterio, los perros que ladran... (ver vv. 15-16).

cabelleras amarillas
a las amarillas torres.
La noche llama temblando
al cristal de los balcones
15 perseguida por los mil
perros que no la conocen,
y un olor de vino y ámbar
viene de los corredores.

*

Brisas de caña mojada
20 y rumor de viejas voces,
resonaban por el arco
roto de la media noche.
Bueyes y rosas dormían.
Sólo por los corredores
25 las cuatro luces clamaban
con el furor de San Jorge.

---

12 *las amarillas torres:* presentación comparable a la de *Clamor,* del *Gráfico de la petenera:*

> En las torres
> amarillas...

El color amarillo en Lorca es a menudo emblemático de la muerte (ver también el v. 18 «ámbar»).

19-38 El joven asiste, en agonía, a su propia muerte y entierro.

20-22 *viejas voces:* el anónimo coro universal que acompaña la escena de agonía como en la *Muerte de Antoñito el Camborio* (v. 1-2, 17-18, 51-52).

21-22 *el arco roto:* en Lorca, tanto el momento del crepúsculo (paso de la noche al día o del día a la noche) como el de la media noche (paso de un día a otro día) son fenómenos de ruptura. Para la quebradura de la aurora, ver el *Martirio de Santa Olalla,* vv. 11-17, y *La guitarra (Poema del cante jondo),* vv. 3-4.

El «arco roto» como punto decisivo del tiempo, donde se decide de la vida o de la muerte, se halla en la *Burla de Don Pedro a caballo,* vv. 31-32; en la *Gacela de la terrible presencia,* v. 12: «los arcos rotos, donde sufre el tiempo».

Ver, dentro del mismo campo semántico, el verso 33: «un minuto intransitable», y el anuncio en el v. 4: «acaban de dar las once».

Tristes mujeres del valle
bajaban su sangre de hombre,
tranquila de flor cortada
30   y amarga de muslo joven.
Viejas mujeres del río
lloraban al pie del monte,
un minuto intransitable
de cabelleras y nombres.
35   Fachadas de cal, ponían
cuadrada y blanca la noche.
Serafines y gitanos
tocaban acordeones.
Madre, cuando yo me muera
40   que se enteren los señores.
Pon telegramas azules
que vayan del Sur al Norte.
Siete gritos, siete sangres,
siete adormideras dobles,

---

31   *viejas mujeres:* las clásicas lloronas (v. 31), con los cabellos desatados (v. 34) y gritando el nombre del desdichado, como las Vecinas y las mujeres en la escena final de *Bodas de sangre.*

35-36   presentación casi cubista de un pueblo blanco andaluz. La combinación cromático-temática sangre (rojo) - cal (blanco) recuerda, además, el
poema *Cueva,* del *Poema del cante jondo,* otra escena de velatorio:

(Lo blanco
sobre lo rojo.)

39   *cuando yo me muera:* verso de corte muy popular que Lorca empleó
en varias ocasiones: *Memento,* del *Poema del cante jondo,* vv. 1, 4, 7, 10, o en
su teatro: *Bodas de sangre,* acto I, cuadro II.

43   *siete gritos, siete sangres:* la visión primitiva de esta imagen de dolor
extremo es la de la Virgen de los siete dolores. Véase la escena del cuadro V
de *Los títeres de Cachiporra,* que representa una calle andaluza con un portal
con un letrero: «Posada de todos los desengañados del mundo». Sobre la
puerta se ve un gran corazón atravesado por siete espadas. Como en *La guitarra*
(del *Poema del cante jondo),* vv. 26-27, el simbolismo originalmente religioso
permite acomodaciones a nuevas situaciones metafóricas como ésta.

44   *adormideras dobles:* adormidera en su sentido etimológico de «somnífero», lo que provoca el sueño, aquí definitivo: el de la muerte. Algunos

45   quebraron opacas lunas
      en los oscuros salones.
      Lleno de manos cortadas
      y coronitas de flores,
      el mar de los juramentos
50   resonaba, no sé dónde.
      Y el cielo daba portazos
      al brusco rumor del bosque,
      mientras clamaban las luces
      en los altos corredores.

---

detalles del texto como «flor cortada» (v. 29), «sangre» (vv. 28, 43), «gritos»
(v. 43), «quebrar» (v. 45), las «manos cortadas» (v. 47), etc., invitan a una interpretación de esta muerte de amor como violenta, tal vez por suicidio.

45   *quebraron lunas:* espejos en forma de luna (con evidente connotación
maléfica contextual) quebrados por los agudos gritos del moribundo en agonía. Ver el *Retrato de Silverio Franconetti (Poema del cante jondo):*

> Su grito fue terrible.
> ... se erizaban
> los cabellos,
> y se abría el azogue
> de los espejos.

> (vv. 9-14)

47   *manos cortadas:* escena de muerte violenta como para el *Martirio de
Santa Olalla* (v. 32). Sólo que aquí la sangre derramada va a llenar el mar,
camposanto de todos los sufrimientos (cfr. v. 48). Ver también el *Romance de
la pena negra* (vv. 17-18) y la *Baladilla de los tres ríos,* del *Poema del cante
jondo,* vv. 10, 25-26, 30.

51   *portazos:* por estos metafóricos truenos y por los juramentos del mar
tumultuoso (v. 49), el universo participa activamente en esta escena de agonía, como en la *Lamentación de la muerte (Poema del cante jondo):*

> Sobre el cielo negro,
> culebrinas amarillas.

> (vv. 1-2, 23-24)

14

(ROMANCE D)EL EMPLAZADO *

Para Emilio Aladrén **

1   ¡Mi soledad sin descanso!
    Ojos chicos de mi cuerpo
    y grandes de mi caballo,
    no se cierran por la noche
5   ni miran al otro lado
    donde se aleja tranquilo
    un sueño de trece barcos.

---

* La ausencia de nombre propio históricamente atestiguado y la inclusión de este romance en la primera parte del libro (y no en la sección de los romances históricos) obligan a una lectura no-historizante del personaje del emplazado. A pesar de las posibles reminiscencias históricas legendarias de personajes emplazados (como, por ejemplo, el rey Fernando IV, llamado *El Emplazado,* o el rey francés Felipe IV, *El Hermoso,* conjuntamente emplazado con el papa Clemente V por Santiago de Molay, gran maestre de los templarios), el protagonista aquí es una creación de la mitología gitano-andaluza lorquiana, personaje transhistórico y mítico, el Amargo (ver nota al v. 23).

** Emilio Aladrén (1906-1944), escultor, alumno de la escuela de San Fernando, íntimo amigo de Lorca en Madrid durante los años 1925-1928. Fue autor de un busto de Lorca. Aparece en la correspondencia del poeta y figura en unos fragmentos del *Poeta en Nueva York.*

3-7   *caballo - barcos:* el mundo gitano andaluz en su doble vertiente geográfica (sierra-mar) y simbólica se lee aquí por tercera vez en el *Romancero gitano:* comparar con los vv. 3-4 del *Romance sonámbulo:* «El barco sobre la mar / y el caballo en la montaña», y los vv. 16-17 del *Romance de la pena negra:* «caballo que se desboca, / al fin encuentra la mar».

Sino que limpios y duros
escuderos desvelados,
10 mis ojos miran un norte
de metales y peñascos
donde mi cuerpo sin venas
consulta naipes helados.

*

Los densos bueyes del agua
15 embisten a los muchachos
que se bañan en las lunas
de sus cuernos ondulados.

---

trece barcos: tanto este número como los naipes (v. 13) pertenecen al mundo de la mala suerte y de la adivinación que rigen los días del emplazado.

10-11 *un norte de metales y peñascos:* el punto fijo del único porvenir posible para el emplazado es una perspectiva de duros objetos metálicos mortíferos y de naturaleza agresiva. La misma imagen se repite en los vv. 38-39 como elemento de la funesta predicción.

12 *cuerpo sin venas:* fórmula metonímica para cuerpo exangüe o con sangre cuajada.

13 *naipes helados:* como en *Conjuro (Poema del cante jondo)*: «As de bastos. / Tijeras en cruz», y en escena final de *Así que pasen cinco años,* los naipes, con frío de muerte, remiten a la brujería y la mala suerte. Ver también el v. 5 de *Reyerta.*

14-17 Se entienden en parte estos versos de una complicación barroca a través de una imagen popular, apuntada por el propio Lorca, en su conferencia *La imagen poética en Góngora:* «A un cauce profundo que discurre lento por el campo lo llaman un *buey de agua,* para indicar su volumen, su acometividad y su fuerza...».

Para los cuernos-lunas se puede referir a la imagen gongorina: «Media luna las armas de su frente», v. 3 de la *Primera Soledad.* A estos cuatro versos se les puede aplicar estas palabras de Lorca: «... la imagen popular llega a extremos de finura y sensibilidad maravillosas y las transformaciones son completamente gongorinas». La imagen del «cuerno de luz» de la luna *(Segundo aniversario,* v. 2, de *Canciones)* se halla también explícitamente en la *Soledad insegura,* homenaje de Lorca a Góngora, v. 8 («el cuerno adolescente de la luna») y en «la plaza redonda de la luna / que finge cuando niña doliente res inmóvil», de *Cuerpo presente,* del *Llanto por I. Sánchez Mejías.* Dentro del *Romancero gitano* reaparece en la *Burla de Don Pedro a caballo,* vv. 56-57: «Unicornio de ausencia / rompe en cristal su cuerno».

Y los martillos cantaban
sobre los yunques sonámbulos,
20   el insomnio del jinete
y el insomnio del caballo.

*

El veinticinco de junio
le dijeron a el Amargo:
Ya puedes cortar si gustas
25   las adelfas de tu patio.
Pinta una cruz en la puerta
y pon tu nombre debajo,

---

18   *los martillos:* siendo en primer lugar una metafórica evocación de la madrugada y del rosicler (cfr. *El maleficio de la mariposa,* acto I, escena I: «Los martillos formidables de la aurora ponen al rojo la plancha del horizonte»), los martillos y los yunques (v. 19), como instrumentos típicos del mundo gitano, sugieren además el insistente martilleo físico y psicológico que provoca una noche de insomnio.

23-27   *el Amargo:* aparte dos menciones tempranas en el reparto y en la versión primitiva de *La zapatera prodigiosa* (ver: FGL, *Epistolario I,* pág. 82, y FGL, *La zapatera prodigiosa,* facsímil de la primera versión autógrafa inédita, ed. Lina Rodríguez Cacho, Valencia, Pre-Textos, 1986, págs. 12-13, 14-15), la primera mención activa de este misterioso personaje lorquiano es en el *Diálogo del Amargo,* con su final *Canción de la madre del Amargo* (julio de 1925). Los nexos léxicos, temáticos y simbólicos entre el *Diálogo* y el *Romance del emplazado* son numerosos.

He aquí algunos elementos importantes: la insistencia sobre el nombre propio (ver v. 27 y nótese la falta de contracción del artículo en el verso 23: «a el Amargo»); «las adelfas de tu patio» del v. 25 (*las adelfas:* tradicional emblema de desamor, amargura muerte) y «las adelfas de mi patio» en el v. 3 de la canción inicial del *Diálogo;* la «cruz» del verso 26 y «la cruz» anafóricamente subrayada en la canción de la madre, las «cicutas y ortigas» del v. 28, que también cierran el *Diálogo,* la noche común a ambos textos, la precisión fatídica de las fechas señaladas (anuncio en 25 de junio, vv. 22 y 46, muerte en 25 de agosto, v. 48, y entierro en 27 de agosto en la *Canción de la madre del Amargo).* Para más detalles se puede consultar el estudio y las notas de mi edición del *Poema del cante jondo* (Espasa Calpe, Clásicos Castellanos, 2, 1986) y mi artículo «La esquina de la sorpresa: Lorca entre el Poema del cante jondo y el Romancero gitano», *Revista de Occidente,* 1986, págs. 26-29.

porque cicutas y ortigas
nacerán en tu costado,
30   y agujas de cal mojada
te morderán los zapatos.
Será de noche, en lo oscuro,
por los montes imantados
donde los bueyes del agua
35   beben los juncos soñando.
Pide luces y campanas.
Aprende a cruzar las manos,
y gusta los aires fríos
de metales y peñascos.
40   Porque dentro de dos meses
yacerás amortajado.

*

Espadón de nebulosa
mueve en el aire Santiago.
Grave silencio, de espalda,
45   manaba el cielo combado.

*

---

30   *cal:* la cal, producto echado sobre los cadáveres, «tiene en España diminutas hierbas de muerte», dijo Lorca en su conferencia *Teoría y juego del
duende.* Las adelfas del v. 25 con la cal se hallan reunidas en el v. 14 del *Paso
de la siguiriya gitana* (PCJ): «tu dolor de cal y adelfa».

33   *imantados:* porque son «el norte» (v. 10) de los ojos del emplazado.

37   *cruzar las manos:* la misma actitud del muerto en *Mariana Pineda*
(estampa III, escena VII): «Mariana se sienta en el banco, con las manos cru-
zadas... en una divina actitud de tránsito». Ver también el Niño muerto del
acto I de *Así que pasen cinco años.*

42-43   Amenazante sugestión del día veinticinco de julio, fiesta del apóstol Santiago, a medio camino entre el día del anuncio del plazo y el día de su
cumplimiento. En *Libro de poemas* se lee un poema llamado *Santiago,* fe-
chado precisamente en un día 25 de julio (de 1918), en el cual se pueden en-
contrar elementos temáticos del romance.

El veinticinco de junio
abrió sus ojos Amargo,
y el veinticinco de agosto
se tendió para cerrarlos.
50   Hombres bajaban la calle
para ver al emplazado,
que fijaba sobre el muro
su soledad con descanso.
Y la sábana impecable,
55   de duro acento romano,
daba equilibrio a la muerte
con las rectas de sus paños.

---

54   *la sábana impecable:* el paño mortuorio se repite en la obra lorquiana
en varias situaciones análogas, por ejemplo en la *Casida de la mano imposi-*
ble (Diván del Tamarit): «la sábana blanca de mi agonía», o en el *Llanto por*
Ignacio Sánchez Mejías, en el v. 3 de *La cogida y la Muerte:* «un niño trajo
la blanca sábana...».

55   *romano:* gracias a este calificativo, el romance entra de lleno en la línea interpretativa propia del *Poema de la soleá,* actitud estoica (senequista y
cordobesa) frente a la muerte inevitable. Ver el análisis de la sección de la
soleá en mi edición del *Poema del cante jondo.*

15

ROMANCE DE LA GUARDIA CIVIL ESPAÑOLA

A Juan Guerrero. Cónsul general de la poesía *

1   Los caballos negros son.
Las herraduras son negras.
Sobre las capas relucen
manchas de tinta y de cera.

---

* Juan Guerrero (1893-1955), corresponsal y amigo murciano de Lorca, fundador (con J. Guillén) y editor de la revista *Verso y Prosa,* en la que el poeta publicó varios textos entre los que figura el romance inicial del libro, *Romance de la luna, luna.* En la segunda de las tres cartas conservadas de Lorca a Guerrero, todas de la época de la redacción y publicación del *Romancero gitano (Epistolario II,* págs. 57, 97, 124), se lee: «¡Querido Juan Guerrero! Mil gracias por tu telegrama. Tú siempre el mejor, cónsul general de la poesía» (pág. 57). Ver igualmente FGL, *Dibujos* (catál. M. Hernández), Madrid, Ministerio de Cultura, 1986, núm. 232.

4 *manchas de tinta y de cera:* sugerencias despectivas de burocracia y de iglesia. Para las manchas de tinta se puede referir, por ejemplo, a *Encrucijada,* del *Libro de poemas:*

> ¡Oh, qué dolor el tener
> ... el cerebro
> todo manchado de tinta!

o a este texto en prosa de *El convento (Impresiones y Paisajes):* «La celda es blanca y sombría, con un crucifijo modernista y una mesa de palo llena de manchas de tinta». La tinta con connotación mortífera en *Vuelta de paseo (Poeta en Nueva York):* «... mariposa ahogada en el tintero». El primer y el último verso de este poema es: «Asesinado por el cielo».

5   Tienen, por eso no lloran,
    de plomo las calaveras.
    Con el alma de charol
    vienen por la carretera.
    Jorobados y nocturnos,
10 por donde animan ordenan
    silencios de goma oscura
    y miedos de fina arena.
    Pasan, si quieren pasar,
    y ocultan en la cabeza
15 una vaga astronomía
    de pistolas inconcretas.

                    *

    ¡Oh ciudad de los gitanos!
    En las esquinas banderas.

La cera, por su color blanquecino, también conlleva una sugerencia mortal
en Lorca: *La luna y la muerte (Libro de poemas):*

> Doña Muerte...
> Va vendiendo colores
> de cera y de tormenta...

La nota religiosa despectiva también se halla en otros textos lorquianos,
por ejemplo en *Sonidos (Impresiones y Paisajes):* «... esta campana que llama
a rezar quejumbrosamente, la tañe algún viejo sacristán lleno de manchas de
cera...», o en *Yerma* (acto II, cuadro I), cuando la lavandera define así a las
dos cuñadas: «Estaban encargadas de cuidar la iglesia y ahora cuidan de su
cuñada... Están untadas con cera... Se me figura que guisan su comida con el
aceite de las lámparas».

10   *animan:* juego paronomástico con «alma de charol» (v. 7).

11   *silencios de goma:* silencio obtenido por el garrote o bastón de goma,
como en *La casa de Bernarda Alba.*

12   *arena:* imagen por antonomasia de esterilidad y muerte, como por
ejemplo, constantemente en *Yerma* (la seca):

> ¡Ay de la casada seca!
> ¡Ay de la que tiene los pechos de arena!

18   *banderas:* señal de fiesta y alegría (ver los vv. 37-54, y sobre todo el
verso 51 y el verso 66: «la ciudad de la fiesta»).

La luna y la calabaza
20   con las guindas en conserva.
¡Oh ciudad de los gitanos!
¿Quién te vio y no te recuerda?
Ciudad de dolor y almizcle
con las torres de canela.

*

25   Cuando llegaba la noche
noche que noche nochera,
los gitanos en sus fraguas
forjaban soles y flechas.
Un caballo malherido,
30   llamaba a todas las puertas.
Gallos de vidrio cantaban

---

24   *torres de canela:* con elementos de la realidad cotidiana (calabaza, guindas, almizcle, canela...) se construye la ciudad imaginaria de los gitanos. Para la torre de canela se puede comparar con la interrogación del gitano en la *Escena del teniente coronel de la Guardia civil:*

TEN. CORONEL: ¿Y qué hacías allí?
GITANO: Una torre de canela.

Orden (v. 10) versus imaginación (v. 104).

26   *noche que noche nochera:* transformación paronomástica con intención festiva, comparable a «luna lunera» de la *Balada triste (Libro de poemas)* (v. 39), y de *Recuerdo* (de la suite *Noche). Nochero (-a)* existe con el sentido de guardia de noche, sereno.

29   *un caballo malherido:* en Lorca, como en infinidad de leyendas y cuentos tradicionales, el caballo (o el jinete) anuncia la inminencia de la muerte, la acompaña o es la muerte misma. En Lorca se debe referir, por ejemplo, al *Diálogo del Amargo* (del *Poema del cante jondo), a las dos Canciones* de jinete, y dentro del *Romancero gitano* al jinete de los vv. 21-22 del *Romance de la luna, luna,* al caballo de la *Burla de Don Pedro a caballo,* y a los vv. 1-2 del *Martirio de Santa Olalla.* R. Martínez Nadal estudió el simbolismo del caballo en Lorca a partir de *El Público (Lorca's The Public,* Londres, Calder-Boyars, 1974, págs. 185-217).

31   *gallos de vidrio:* como el caballo, los gallos quieren despertar y avisar contra la inminencia de la amenaza.

por Jerez de la Frontera.
El viento, vuelve desnudo
la esquina de la sorpresa,
35   en la noche platinoche
noche, que noche nochera.

*

La Virgen y San José
perdieron sus castañuelas,
y buscan a los gitanos
40   para ver si las encuentran.
La virgen viene vestida
con un traje de alcaldesa
de papel de chocolate
con los collares de almendras.

---

32   *Jerez de la Frontera:* L. Beltrán Fernández de los Ríos, en su estudio *La arquitectura del humo* (págs. 189-193), alega unas posibles razones para la elección por Lorca de Jerez de la Frontera como escena de la destrucción del mítico universo gitano.

33   *el viento desnudo:* como en *Preciosa y el aire,* v. 21.

35   *platinoche:* nuevo juego léxico, en base de construcciones como *oriflama, orifico, platinífero,* etc. Para la luna de plata, ver *Muerto de amor,* vv. 9-10.

37   *La Virgen y San José:* personajes centrales del retablo de una tradicional fiesta gitana navideña (cfr. v. 93 «Belén»): la Virgen María, San José, los Reyes Magos y otros completamente locales o populares (Pedro Domecq). El Belén de la fiesta colectiva será el Gólgota colectivo del mundo gitano.

44   *almendra:* emblema negativo de amargura. Ver *San Gabriel,* v. 65, y el *Diálogo del Amargo:*

> Corazón de almendra amarga.
> Amargo.

También en *La zapatera prodigiosa* (acto I): «Zapaterilla blanca, como el corazón de las almendras, pero amargosilla también». Y en *Bodas de sangre,* acto II, cuadro II:

> ... que... se llenen de miel
> las almendras amargas.

45   San José mueve los brazos
bajo una capa de seda.
Detrás va Pedro Domecq
con tres sultanes de Persia.
La media luna, soñaba
50   un éxtasis de cigüeña.
Estandartes y faroles
invaden las azoteas.
Por los espejos sollozan
bailarinas sin caderas.

47-48 *Pedro Domecq:* la anécdota realista que permite la mezcla característica del elemento vulgar cotidiano (el productor de los vinos jerezanos) con
el mítico transhistórico (los Reyes Magos, representantes del mundo entero).

50 *éxtasis de cigüeña:* la actitud rígida y meditativa de la cigüeña en lo
alto de las torres le había inspirado ya a Lorca varias metáforas análogas. En
Candil (Poema del cante jondo), la llama se describe así:

> Cigüeña incandescente
> pica desde su nido
> a las sombras...
>
> (vv. 7-10)

O estos versos del joven Lorca:

> Cigüeñas...
> ¡Oh pájaros derviches...!

En *Iglesia abandonada (Poeta en Nueva York):*

> Yo vi la transparente cigüeña de alcohol
> morder las negras cabezas de los soldados agonizantes...

En *Impresiones y Paisajes* aparecen varias cigüeñas estáticas, como en
San Pedro de Cardeña: «Las cigüeñas están paradas, tan rígidas que parecen
adornos sobre los pináculos...».

53-54 Escena de *viñeta flamenca,* como en *Café cantante* (del *Poema
del cante jondo):*

> ... en los espejos verdes
> largas colas de seda
> se mueven.

Contiene la escena una clara connotación de dolor (v. 23): «sollozar». La
Parrala, cantaora de *Café cantante,* «sostiene una conversación con la muerte»,
mientras las gentes aspiran «los sollozos».

55   Agua y sombra, sombra y agua
     por Jerez de la Frontera.

                    *

     ¡Oh ciudad de los gitanos!
     En las esquinas banderas.
     Apaga tus verdes luces
60   que viene la benemérita.
     ¡Oh ciudad de los gitanos!
     ¿Quién te vio y no te recuerda?
     Dejadla lejos del mar
     sin peines para sus crenchas.

                    *

65   Avanzan de dos en fondo
     a la ciudad de la fiesta.
     Un rumor de siemprevivas,
     invade las cartucheras.
     Avanzan de dos en fondo.

---

55   *agua y sombra:* dos sugestiones del sufrimiento anunciado. El sentido negativo del agua se comprueba por el texto de una versión tachada cuyo
manuscrito se conserva en la Fundación FGL:

> El agua llora un prefacio
> de pájaros sin cabeza.

El verbo *llorar* se conecta con el verbo «sollozar» del v. 53, *prefacio* subraya el carácter de presagio y los *pájaros sin cabeza* son el resultado final
de la masacre que se prepara.
60   *la benemérita:* el Cuerpo Benemérito de la Guardia Civil.
63-64   *dejadla lejos del mar:* en el contexto del *Romancero gitano* (cfr.
las notas a los vv. 3-4 de *Romance sonámbulo,* vv. 16-17 del *Romance de la
pena negra,* y vv. 3-7 del romance de *El emplazado),* dejarla en su sitio propio, sin moverla (ver v. 54), fuera del mar, símbolo de la muerte. Ver también
la versión manuscrita que se conserva en la Fundación FGL: «fuera del mar».
Así también se entiende mejor el verso 55.
67   *siemprevivas:* con valor paradójico de muerte; ver el v. 7 de *San Gabriel* y la nota explicativa al v. 38. El lenguaje de la siempreviva es: «la siempreviva te mata» *(Doña Rosita la soltera).*

70 Doble nocturno de tela.
El cielo, se les antoja,
una vitrina de espuelas.

*

La ciudad libre de miedo,
multiplicaba sus puertas.
75 Cuarenta guardias civiles
entran a saco por ellas.
Los relojes se pararon,
y el coñac de las botellas
se disfrazó de noviembre
80 para no infundir sospechas.
Un vuelo de gritos largos
se levantó en las veletas.

---

72 *una vitrina de espuelas:* la astronomía ocultada en la cabeza (vv. 14-16) se alimenta en el reflejo imaginario de la luz de las estrellas. Ver *Canción de jinete (1860):*

> La noche espolea
> sus negros ijares
> clavándose estrellas.

(vv. 16-18)

Las espuelas celestes tienen un eco en las espuelas de los jinetes.

79 *de noviembre:* el ambiente propio del otoño lorquiano: colores sombríos y nieblas. Ver, por ejemplo, los poemas *Noviembre* y *Tarde,* del *Libro de poemas.* Hasta el mundo inanimado se da cuenta del peligro y se para (v. 77) o se esconde disimulándose.

81 *un vuelo de largos gritos:* la presentación zoomórfica (pájaro de larga cola) del grito de dolor proviene directamente del *Poema de la siguiriya gitana: Paisaje:*

> Los olivos
> están cargados
> de gritos.
> Una bandada
> de pájaros cautivos
> que mueven sus larguísimas
> colas en lo sombrío.

Ver *El grito.* También en *Bodas de sangre,* las palabras de la muerte-Mendiga: «... el desgarrado vuelo de los gritos. / Aquí ha de ser y pronto».

Los sables cortan las brisas
que los cascos atropellan.
85   Por las calles de penumbra,
huyen las gitanas viejas
con los caballos dormidos
y las orzas de moneda.
Por las calles empinadas
90   suben las capas siniestras,
dejando atrás fugaces
remolinos de tijeras.

En el portal de Belén,
los gitanos se congregan.
95   San José, lleno de heridas,
amortaja a una doncella.
Tercos fusiles agudos
por toda la noche suenan.
La Virgen cura a los niños
100   con salivilla de estrella.
Pero la Guardia Civil
avanza sembrando hogueras,
donde joven y desnuda
la imaginación se quema.
105   Rosa la de los Camborios,
gime sentada en su puerta

---

92   *tijeras:* figuración metafórica para los incesantes movimientos de los
sables que cortan (v. 83) en el aire («remolinos»). El instrumento hiriente
tiene, además, una connotación de mal agüero: ver *Conjuro* (del *Poema del
cante jondo).*

100   *con salivilla de estrella:* comparar con el rocío «agua de las alondras» en el v. 36 del *Romance de la pena negra.* La fuente culta de esta imagen tal vez sea el siguiente verso de L. de Góngora: «de las mudas estrellas
la saliva» de la segunda *Soledad,* v. 297. Ver también FGL, *Conferencias I*
(ed. Chr. Maurer), Madrid, Alianza, pág. 107.

104   *la imaginación:* personificación y martirio de la libertad, perseguida
y exterminada por las fuerzas opuestas del orden.

con sus dos pechos cortados
puestos en una bandeja.
Y otras muchachas corrían
110   perseguidas por sus trenzas,
en un aire donde estallan
rosas de pólvora negra.
Cuando todos los tejados
eran surcos en la tierra,
115   el alba meció sus hombros
en largo perfil de piedra.

*

¡Oh ciudad de los gitanos!
La Guardia Civil se aleja
por un túnel de silencio
120   mientras las llamas te cercan.

¡Oh ciudad de los gitanos!
¿Quién te vio y no te recuerda?
Que te busquen en mi frente.
Juego de luna y arena.

---

107   *sus dos pechos cortados:* las coincidencias con el *Martirio de Santa Olalla* (vv. 26, 36, 59) son múltiples: mismas torturas, mismo aparato represivo. Rosa de los Camborios es una santa mártir del pueblo gitano destruido.

114   *surcos:* esta imagen agraria de siembra permita tal vez avanzar una débil perspectiva hacia el futuro.

115   Actitud de desaprobación y de incomprensibilidad.

123   La pervivencia del universo gitano, mental (en el recuerdo del poeta) y literaria (el *Romancero gitano*).

124   *luna y arena:* dos símbolos negativos de muerte y esterilidad concluyen esta parte del libro.

TRES ROMANCES HISTÓRICOS

16

MARTIRIO DE SANTA OLALLA *

A Rafael Martínez Nadal **

I

PANORAMA DE MÉRIDA

1 Por la calle brinca y corre
caballo de larga cola,

---

* En manuscritos anteriores también con el título: *Martirio de Santa Olalla gitana de Mérida.* La fuente remota de parte de este romance «histórico» es, sin duda, literaria. En el *Peristephanon (Libro de las coronas)* de Prudencio, obra poética en honor de varios santos mártires, se halla el *Hymnus in honorem passionis Eulaliae beatissimae martyris* (215 versos). La *Antología escolar de literatura castellana,* del padre Arturo M. Cayuela (tomo I, Madrid, Razón y Fe, publicada en 1924), ofrece una traducción de este himno. Podría ser la fuente del martirio lorquiano. Gran parte del romance, sin embargo, no tiene parecido con la pasión latina primitiva y obliga a pensar en la existencia de otra fuente, de tradición probablemente más popular. El romance lorquiano tiene tres subtítulos para sendos cuadros del tríptico.

** Rafael Martínez Nadal (1904), amigo de Lorca en Madrid desde 1923 hasta 1936. Posee gran número de autógrafos lorquianos. Editor de éstos y de otros muchos textos de Lorca. Profesor emérito de literatura en Londres, es autor de varios ensayos críticos.

2 *caballo de larga cola:* caballo que anuncia o acompaña a la muerte, como en el *Romance de la Guardia civil española,* v. 29; ver la nota explicativa. La calificación «de larga cola» tal vez pueda referirse a la identificación metafórica lorquiana entre caballo y luna. *La sangre derramada:*

La luna de par en par.
Caballo de nubes quietas...

(vv. 6-7);

mientras juegan o dormitan
viejos soldados de Roma.
5 Medio monte de Minervas
abre sus brazos sin hojas.
Agua en vilo redoraba
las aristas de las rocas.
Noche de torsos yacentes
10 y estrellas de nariz rota,
aguarda grietas del alba
para derrumbarse toda.
De cuando en cuando sonaban
blasfemias de cresta roja.

---

o en *Ruina,* de *Poeta en Nueva York:*

> Pronto se vio que la luna
> era una calavera de caballo...

(vv. 4-5);

y la *Gacela de la terrible presencia:*

> ... que brillen los dientes de la calavera
> y los amarillos inunden la seda

(vv. 7-8)

Caballo y luna coinciden en su funesta función.

4 *viejos soldados de Roma:* Mérida, la llamada Emérita romana, patria de Santa Olalla y lugar de su martirio, según Prudencio, era una ciudad de militares veteranos, eméritos.

5 *Minerva:* hay, a lo largo del romance, numerosos toques arqueológicos de color local (Minerva, medio monte = anfiteatro, torso, nariz rota, el cónsul, centuriones...).

7 *agua:* alusión a la lluvia. Ver la versión manuscrita suprimida de la Fundación García Lorca.

11-12 *grietas del alba-derrumbarse:* léxico propio de la variante metafórica para la quiebra cósmica que constituye la llegada del alba. Desde las primeras obras de Lorca aparece el fenómeno: «Mirad cómo quiebra el primer albor» *(El maleficio de la mariposa,* acto I, escena I).

Aquí el contexto de ruina del mundo romano (torsos yacentes, la nariz rota...), le da una resonancia particular al derrumbamiento de la noche como fenómeno astral: prefigura el derrumbamiento del imperio romano frente al nacimiento de la era cristiana. En Prudencio también se dice que la santa mártir merecía salir de la noche para ver el triunfo del nuevo día. Para la metáfora de ruptura del día, ver *Barrio de Córdoba* (del *Poema del cante jondo),* v. 3: «La noche se derrumba» y la imagen del «arco roto» en *Muerto de amor,* vv. 21-22.

14 *blasfemias de cresta roja:* el canto de los gallos, anunciando el rosicler («cresta roja») del día, también se contextualiza: toma carácter de impiedad.

15   Al gemir la santa niña,
quiebra el cristal de las copas.
La rueda afila cuchillos
y garfios de aguada comba:
Brama el toro de los yunques,
20   y Mérida se corona
de nardos casi despiertos
y tallos de zarzamora.

---

15 *la santa niña:* según Prudencio, la santa tenía doce años.

16 *quiebra el cristal de las copas:* nueva visión metafórica del rosicler, que tiene un precedente en el *Poema del cante jondo: La guitarra:*

> Se rompen las copas
> de la madrugada

(vv. 3-4)

El color rojo del nuevo día se va difundiendo por el cielo como el vino, al romperse las copas, se derrama por el mantel. A diferencia de *La guitarra,* en el romance es la misma protagonista quien provoca el fenómeno. El color rojo prefigura, además, la sangre del martirio deseado.

17-18   Otra prefiguración del martirio a través de los instrumentos hirientes: cuchillos y garfios. Aunque la rueda es primariamente una mención de la piedra afiladera, ofrece tal vez una referencia metafórica a la luna (v. 2), como en la *Soledad insegura* contemporánea: «Rueda helada la luna...», en *Recuerdo* (de la suite *Noche):* «Doña Luna no ha salido. / Está jugando a la rueda...», o en la *Oda a Walt Whitman* (de *Poeta en Nueva York):* «la rueda amarilla del tamboril» (v. 19). En la canción de la luna en *Bodas de sangre* (acto III, cuadro I) se dice:

> La luna deja un cuchillo
> abandonado en el aire...

19 *el toro de los yunques:* como en el *Romance del emplazado,* vv. 18-19, los martillos que cantan sobre los yunques, visión metafórica de los rayos solares, visión bien adaptada al contexto gitano.

20 *Mérida se corona:* visión análoga a la de los vv. 41-42 del *Romance de la pena negra:* «Con flores de calabaza, / la nueva luz se corona».

21 *nardos:* conllevan a menudo en Lorca, con su color blanco (el día) y su olor penetrante, una connotación dolorosa: *Soledad insegura,* v. 12: «con un dolor sin límite, de nardos»; *Oda al Rey de Harlem (Poeta en Nueva York):* «muertes enharinadas y ceniza de nardo».

22 *zarzamora:* planta de neto signo negativo (sufrimiento de amor): *Zarzamora con el tronco gris (Canciones),* v. 3: «sangre y espinas».

II

EL MARTIRIO

Flora desnuda se sube
por escalerillas de agua.
25 El Cónsul pide bandeja
para los senos de Olalla.
Un chorro de venas verdes
le brota de la garganta.
Su sexo tiembla enredado
30 como un pájaro en las zarzas.
Por el suelo, ya sin norma,
brincan sus manos cortadas
que aún pueden cruzarse en tenue
oración decapitada.
35 Por los rojos agujeros
donde sus pechos estaban
se ven cielos diminutos
y arroyos de leche blanca.
Mil arbolillos de sangre
40 le cubren toda la espalda

---

26 *los senos de Olalla:* este elemento del martirio es idéntico al de Rosa
de los Camborios del romance anterior, vv. 105-108. Por otra parte, no hace
ninguna falta referirse aquí a la pasión de Santa Ágata (como suelen hacer
ciertos críticos), para explicar este aspecto de la tortura de Santa Olalla. Figura claramente en el himno de Prudencio, vv. 131-132:

> Nec mora, carnifices gemini
> iuncea pectora dilacerant...

32 *manos cortadas:* cfr. v. 47 de *Muerto de amor.*
39 Metáfora fitomorfa (como ramas de árbol) para la espalda cubierta de
sangre; se halla también en *Bodas de sangre,* aunque menos elaborada (acto III,
cuadro I):

> ... las ramas azules
> y el murmullo de las venas.

Hay que notar que entre las indicaciones escénicas del acto III se lee:
«Grandes troncos húmedos».

y oponen húmedos troncos
al bisturí de las llamas.
Centuriones amarillos
de carne gris, desvelada,
45 llegan al cielo sonando
sus armaduras de plata.

Y mientras vibra confusa
pasión de crines y espadas,
el Cónsul porta en bandeja
50 senos ahumados de Olalla.

III

INFIERNO Y GLORIA

Nieve ondulada reposa.
Olalla pende del árbol.
Su desnudo de carbón
tizna los aires helados.
55 Noche tirante reluce.
Olalla muerta en el árbol.
Tinteros de las ciudades
vuelcan la tinta despacio.

43-46   Visión de procesión andaluza. Algo parecido en *Ruina romana* (de
El Público): «un centurión de túnica amarilla y carne gris».

51   *nieve:* el fenómeno de la súbita nevada (tradicionalmente la fiesta de
Santa Olalla es en 10 de diciembre) figura en Prudencio:

> Ecce nivem glacialis hiems
> ingerit et tegit omne forum.

Sobre este color blanco el poeta monta todo un cuadro en blanco y negro
(nieve, custodia, gloria celeste versus carbón, tizna, tinta, negros maniquís,
noche terrestre, quemado, infierno), cuya apoteosis final es exclusivamente
blanca (v. 72).

52   *pende del árbol:* detalle que no figura en Prudencio y por el cual el
poeta hace una interpretación cristomorfa de la santa mártir.

Negros maniquís de sastre
60   cubren la nieve del campo
en largas filas que gimen
su silencio mutilado.
Nieve partida comienza.
Olalla blanca en el árbol.
65   Escuadras de níquel juntan
los picos en su costado.

                              *

Una custodia reluce
sobre los cielos quemados,
entre gargantas de arroyo
70   y ruiseñores en ramos.
¡Saltan vidrios de colores!
Olalla blanca en lo blanco.
Ángeles y serafines
dicen: Santo, Santo, Santo.

---

59   *maniquís:* versión restablecida según los romances editados y trans-
critos por R. Martínez Nadal. La versión maniquíes del *Primer romancero
gitano* es métricamente imposible. Esta muchedumbre dantesca y nocturna
de misteriosos y goyescos personajes deshumanizados, de luto, representa la
humanidad condenada al fuego eterno del infierno.

64   *Olalla blanca:* la transfiguración del cuerpo en contraste con los
vv. 52-53 y con el resto de la escena.

65   *escuadras de níquel:* metafórica evocación de los copos abundantes
de nieve (níquel: metal frío y blanco). Tal vez también otra referencia cristo-
lógica, inspirada en las llagas del costado de Cristo (cfr. v. 52).

69-70   Los coros celestiales.

17

BURLA DE DON PEDRO A CABALLO
(ROMANCE CON LAGUNAS) *

A Jean Cassou **

1   Por una vereda
    venía Don Pedro.
    ¡Ay cómo lloraba
    el caballero!

---

* El título original y el de la primera publicación en *Mediodía* (Sevilla, 1927) fue el actual subtítulo *Romance con lagunas.* Al lado de su sentido primero de extensión de agua (ver las tres lagunas de agua que entrecortan la narración), *laguna* parece tener otro sentido figurado de vacío, ausencia (ver el v. 43 «lo que falta», v. 56 «ausencia», v. 66 «perdidas», v. 68 «olvidado»...). Según la documentación hoy disponible, el título de *Burla de Don Pedro a caballo* sólo aparece para la edición definitiva del libro, después de haber sido en cierto momento *Don Pedro enamorado.* Este título desechado puede, sin embargo, orientar la interpretación del romance.

Burla remite primero al género literario de este romancillo *sui generis:* una farsa burlesca de un tema frecuente en el romancero tradicional, parodia y escarnio de un personaje «histórico», aparentemente noble («Don») y caballero enamorado. Como antecedentes históricos y literarios se ha propuesto a Don Bueso (Boiso), héroe más o menos burlesco del romancero popular, pero también a Don Pedro el Cruel, a Don Pedro de Rojas y hasta al apóstol San Pedro. Lorca harmonizó el romance de Don Boiso (ver el apéndice musical de las *Obras completas,* Madrid, Aguilar, con la música de las canciones recogidas y harmonizadas por Lorca). Dentro de la tradición romancista existe una vena burlesca de parodias. Se puede leer, por

5   Montado en un ágil
    caballo sin freno,
    venía en la busca
    del pan y del beso.
    Todas las ventanas
10 preguntan al viento,
    por el llanto oscuro
    del caballero.

PRIMERA LAGUNA

    Bajo el agua
    siguen las palabras.
15 Sobre el agua
    una luna redonda
    se baña,

---

ejemplo, en *Romancero español* (ed. L. Santullano), Madrid, Aguilar, 1968, pág. 795, la parodia de un romance morisco por Luis de Góngora, o en la pág. 798 el *Romance burlesco de Zaide.* Es probable que el título definitivo de *Burla* contenga además una alusión burlona al romance apócrifo de *Don Luis a caballo,* publicado con la falsa autoría de F. García Lorca, en *La Gaceta Literaria* del 1 de junio de 1927. Para más datos sobre esta broma que le gastaron unos amigos al poeta, ver: Gerardo Diego, *Crónica del centenario de Góngora (1627-1927),* en *Lola,* núms. 2, enero de 1928, pág. 2.

**   Jean Cassou (1897), conocido hispanista francés, poeta, crítico literario, historiador de arte, director de museo. Fue el primer traductor de poemas de Lorca en francés: *Petenera,* en *Intentions,* París, III, 1924, núms. 23-24, págs. 31-34. Escribió un comentario muy elogioso a la *Oda a Salvador Dalí* en *Le Mercure de France* del 1 de julio de 1926, pág. 235, que le había gustado mucho a Lorca. El poeta se refiere a este texto en una carta a J. Guillén, de julio de 1926 *(Epistolario I,* pág. 155): «¿Has visto el comentario de Cassou en el *Mercure* sobre la oda?».

La dedicatoria primitiva fue para A. García Valdecasas, a quien Lorca dedicó finalmente el último romance de su libro: *Thamar y Amnón.*

8   *pan y beso:* elementos típicos de la vida doméstica y amorosa que confirman la idea de un personaje enamorado en busca de un amor perdido o imposible.

16-17   *una luna redonda se baña:* el delicado juego de espejos entre la luna del cielo y su reflejo en el agua es frecuente en las suites y las canciones

dando envidia a la otra
¡tan alta!
20 En la orilla,
un niño,
ve las lunas y dice:
¡Noche; toca los platillos!

SIGUE

A una ciudad lejana
25 ha llegado Don Pedro.
Una ciudad lejana
entre un bosque de cedros.
¿Es Belén? Por el aire
yerbaluisa y romero.

---

lorquianas. Por ejemplo, en este primero de los cuatro *Nocturnos de la ventana:*

> Luna sobre el agua.
> Luna bajo el viento...
> Las voces de dos niñas
> venían. Sin esfuerzo,
> de la luna del agua,
> me fui a la del cielo.

Hay ecos hasta en el *Diván del Tamarit, Casida de la muchacha dorada:*

> La muchacha dorada
> se bañaba en el agua
> y el agua se doraba.

23   *toca los platillos:* la visión jocosa de la doble luna como las dos piezas en forma de disco amarillo del instrumento musical, es un típico ejemplo del estilo burlesco del romance.

26   *una ciudad lejana:* se mantiene la versión de la edición príncipe, a pesar de la argumentación dada por J. Romero Murube en *Una variante en el Romancero gitano (Ínsula,* Madrid, 94, octubre. 1953, pág. 5). Comparando las versiones existentes de los versos 24, 26 y 58, se ve cómo el poeta adoptó y uniformizó la lectura de «ciudad lejana» en los tres casos, dejando las variantes «sin torres» y «de oro», de tono más fantástico.

28   *Belén:* a pesar de la indefinición geográfica (Oriente: «cedros», Tierra Santa: «Belén», monte: «yerbaluisa y romero», río o laguna: «chopos»...),

30   Brillan las azoteas
     y las nubes. Don Pedro
     pasa por arcos rotos.
     Dos mujeres y un viejo
     con velones de plata
35   le salen al encuentro.
     Los chopos dicen: No.
     Y el ruiseñor: Veremos.

                SEGUNDA LAGUNA

     Bajo el agua
     siguen las palabras.
40   Sobre el peinado del agua
     un círculo de pájaros y llamas.

---

la mención de Belén como eventual destino final gracioso de Don Pedro, nos
remite al Belén del *Romance de la Guardia civil española,* v. 93, lugar de la
destrucción del mundo gitano.

32   *arcos rotos:* la ciudad fantasmagórica parece ruinosa.

34   *velones de plata:* los personajes misteriosos llevan objetos funerarios
de velatorio. Cfr. *Lamentación de la muerte,* del *Poema del cante jondo.* En
un ambiente de ruinas se precisa así poco a poco el objeto o el motivo de la
búsqueda de Don Pedro: se debe tratar de una difunta. Más adelante, vv. 46-49,
se precisará algo más todavía la función de los tres personajes. El romance
lorquiano tiene parecidos temáticos y métricos con algunos romances «de la
muerte ocultada».

36-37   *chopos - ruiseñor:* dos actitudes diferentes frente a la funesta situación. Los chopos son, en las primeras obras líricas de Lorca, filosóficos
contempladores de la realidad. Se puede ver en el *Libro de poemas: Veleta,
Espigas, In memoriam* y *Chopo muerto.*
     Frente al chopo terrestre, realista, el ruiseñor, lírico, indeciso frente a la
realidad de la muerte.

40-41   Así como la primera laguna era espejo nocturno, la segunda lo es
diurno. Para otra visión del agua como espejo de los árboles ver *Tarde* de
Canciones:

                    En el río,
                    un árbol seco,
                    ha florecido en círculos
                    concéntricos.

Y por los cañaverales,
testigos que conocen lo que falta.
Sueño concreto y sin norte
45   de madera de guitarra.

SIGUE

Por el camino llano
dos mujeres y un viejo
con velones de plata
van al cementerio.
50   Entre los azafranes
han encontrado muerto
el sombrío caballo
de Don Pedro.
Voz secreta de tarde
55   balaba por el cielo.

---

43   *conocen lo que falta:* la naturaleza sabe, conoce la historia completa (ver «las palabras» en los vv. 14, 39 y 65 y la versión de los manuscritos apógrafos entregados por FGL a Enrique Díez Caredo: «vocales y consonantes») que tanto el lector como el protagonista desconocen por incompleta.

44-45   *sueño de madera de guitarra:* el tema de los sueños guardados en la caja de la guitarra es frecuente en los poemas del libro *Poema del cante jondo,* contemporáneos del romance con lagunas (ver *Las seis cuerdas, La guitarra* y *Adivinanza de la guitarra*).

50   *azafranes:* de color amarillo, emblemático de la muerte. Ver: *Martirio de Santa Olalla,* v. 43, *Muerto de amor,* vv. 11-12.

54   *voz secreta:* esta misteriosa participación vocal de la naturaleza en los momentos clave de la existencia tiene varios ecos en Lorca, por ejemplo, en *Ruina,* de *Poeta en Nueva York:*

> Yo vi llegar las hierbas
> y les eché un cordero que balaba...

o en *La sangre derramada:*

> Y a través de las ganaderías
> hubo un aire de voces secretas
> que gritaban a toros celestes...

Unicornio de ausencia
rompe en cristal su cuerno.
La gran ciudad lejana
está ardiendo
60 y un hombre va llorando
tierras adentro.
Al Norte hay una estrella.
Al Sur un marinero.

---

56 *unicornio de ausencia:* evocación metafórica de la luna.
Ver *Segundo aniversario,* de *Canciones:*

> La luna clava en el mar
> un largo cuerno de luz.
> Unicornio gris y verde...

Dentro del *Romancero gitano,* ver el romance de *El emplazado,* vv. 14-17 y
la nota explicativa.

62-63 *Norte-Sur:* la tensión —oposición y equilibrio— entre los dos
polos se ilustra en algunos textos de García Lorca, como, por ejemplo,
en los cuatro poemas sobre los cuatro puntos cardinales de la *Suite del
agua:*

Norte:

> Las estrellas frías
> sobre los caminos.

Sur:

> Espejismo...
> reflejo...
> El Sur
> es eso:
> una flecha de oro,
> sin blanco...

También en la correspondencia: «Estoy en Sierra Nevada y bajo muchas
tardes al mar. ¡Qué mar prodigioso el Mediterráneo del Sur! ¡Sur, Sur! (admirable palabra sur). La fantasía más increíble se desarrolla de modo clásico
y sereno. Los rasgos andaluces se entrelazan con rasgos de un norte fijo y ta-
mizado» (Carta a J. Guillén, Lanjarón, 6 de agosto de 1926, *Espistolario I,*
pág. 157).

ÚLTIMA LAGUNA

Bajo el agua
65 están las palabras.
Limo de voces perdidas.
Sobre la flor enfriada,
está Don Pedro olvidado
¡ay! jugando con las ranas.

---

65   *están las palabras:* paradero final después del doble: «siguen las palabras» (vv. 14, 39).

67-70   La situación final de Don Pedro es comparable, amén del tono burlesco y juguetón, a la de la niña del agua, muerta en el estanque del cuarto de los *Nocturnos de la ventana (Canciones),* y en parte también a la posición final de la gitana ahogada del *Romance sonámbulo,* vv. 77-78.

18

THAMAR Y AMNÓN *

Para Alfonso García Valdecasas **

1   La luna gira en el cielo
    sobre las tierras sin agua
    mientras el verano siembra
    rumores de tigre y llama.

---

*   Tuvo también como título *Romance de Thamar y Amnón*. El tema bíblico de la violación y de los amores incestuosos entre Thamar, hija del rey David, y su hermano Amnón, se lee en el segundo libro de Samuel, capítulo XIII (vv. 1-39). Pero más que esta fuente religiosa, importan el romance llamado de Altamar —conservado y cantado en toda España y particularmente en Granada— y, en menor medida, una obra de Tirso de Molina, *La venganza de Tamar*. Manuel Alvar ha dedicado a este romance un estudio altamente instructivo, *García Lorca en la encrucijada (Tradicionalidad y pervivencia,* Barcelona, Planeta, 1970, págs. 239-245), colocándolo dentro del contexto más amplio de una historia erudita y su resonancia tradicional.

**   Alfonso García Valdecasas (1905, Montefrío-Granada), amigo del Rinconcillo granadino, más tarde profesor de Derecho en las universidades de Granada y Madrid, y académico de la Real Academia Española. Lorca le dedica este romance después de haberle quitado la dedicatoria primitiva del *Romance con lagunas*.

1   *la luna:* la ominosidad de esta presencia se subraya en la versión suprimida: «químico fulgor de muerte».

4   *rumores de tigre y llama:* evocación del ambiente de calor intenso (v. 3: «verano», elemento no bíblico, pero muy importante en la obra de Tirso de Molina y en el romance tradicional), comparable al de *Reyerta,* v. 32: «... rumores calientes», con aquí un suplemento de amenaza y de acecho de peligro («tigre»).

5 Por encima de los techos
nervios de metal sonaban.
Aire rizado venía
con los balidos de lana.
La tierra se ofrece llena
10 de heridas cicatrizadas,
o estremecida de agudos
cauterios de luces blancas.

*

Thamar estaba soñando
pájaros en su garganta,
15 al son de panderos fríos
y cítaras enlunadas.

---

6 *nervios de metal:* alusión metafórica a las cuerdas del arpa que el rey David toca (ver los vv. finales 99-100). La *Soledad,* en homenaje de Fray Luis de León, de principios de 1928, ofrece exactamente la misma imagen:

> El arpa y su lamento
> prendido en nervios de metal dorado...

7 *aire rizado:* los rizos de la lana de los rebaños se comunican al aire, como en *Crótalo* (del *Poema del cante jondo)* el ruido del instrumento-insecto (escarabajo sonoro):

> En la araña
> de la mano
> rizas el aire
> cálido...

10 *heridas cicatrizadas:* imágenes de la tierra seca quebrada y árida (ver v. 2: «las tierras sin agua»).

12 *cauterios:* imágenes de quemadura (ver el v. 4: «llamas»).

13-14 *soñando pájaros:* cantando, lo que se comprueba tanto por el v. 21 como por la versión suprimida.

15-16 *panderos fríos - cítaras enlunadas:* ambos instrumentos se cubren de funestas alusiones lunares: pandero (de forma de luna, como en *Preciosa y el aire,* vv. 1-2, 17-18, 29); frío de luna (cfr. *Encrucijada, del Libro de poemas:* «... asoma la luna fría», *El concierto interrumpido,* del mismo libro: «el calderón helado... de la media luna», *La luna asoma* de *Canciones:* «... bajo la luna llena. / Es preciso comer / fruta verde y helada», y la canción de la *Luna,* en *Bodas de sangre:* «¡Tengo frío!».

Su desnudo en el alero,
agudo norte de palma,
pide copas a su vientre
20   y granizo a sus espaldas.
Thamar estaba cantando
desnuda por la terraza.
Alrededor de sus pies,
cinco palomas heladas.
25   Amnón delgado y concreto,
en la torre la miraba
llenas las ingles de espuma
y oscilaciones la barba.
Su desnudo iluminado
30   se tendía en la terraza,
con un rumor entre dientes
de flecha recién clavada.
Amnón estaba mirando
la luna redonda y baja,

17-18   *alero agudo:* «... la línea hiriente de aleros y miradores tiene(n) en España diminutas hierbas de muerte...» *(Teoría y juego del duende).*

19-20   Esta escena de seducción (el canto de sirena, la desnudez, el calor del deseo que pide satisfacción) no pertenece ni a la historia bíblica ni a la tradición del romance popular; es propia de la visión lorquiana. Se puede comparar con el *Madrigal de verano (Libro de poemas),* con más de un punto de contacto, por ejemplo: «Entúrbiame los ojos con tu canto...» y la expresión mítica: «consumir la manzana».

24   *palomas heladas:* blancas y frías en contraste con el ardor de los cuerpos.

26   *en la torre la miraba:* Lorca presenta en esta escena el enamoramiento de Amnón a la vista de su hermana desnuda, según la historia del enamoramiento del rey David viendo a Betsabé (2 Sam. XI, 2).

32   *flecha clavada:* la flecha del amor en su representación más tradicional. Para los efectos hirientes del amor hay que referirse, por ejemplo, a la sección del *Poema del cante jondo: Poema de la saeta.*

34-35   *luna redonda - pechos:* esta visión imaginativa que continúa la seducción por fantasía erótica de Amnón, conlleva evidentes connotaciones funestas. Para la metáfora pecho-luna, ver, dentro del *Romancero gitano: Romance de la pena negra,* vv. 7-8; *Romance de la luna, luna,* v. 8; *San Gabriel,*

35 y vio en la luna los pechos
    durísimos de su hermana.

                    *

    Amnón a las tres y media
    se tendió sobre la cama.
    Toda la alcoba sufría
40 con sus ojos llenos de alas.
    La luz maciza, sepulta
    pueblos en la arena parda,
    o descubre transitorio
    coral de rosas y dalias.
45 Linfa de pozo oprimida,
    brota silencio en las jarras.
    En el musgo de los troncos
    la cobra tendida canta.
    Amnón gime por la tela
50 fresquísima de la cama.

---

vv. 28, 52, 53-54, y las notas a estos versos. En *Así que pasen cinco años,*
acto II, se lee la siguiente conversación entre la Criada y la Novia:

> CRIADA: En mi pueblo había un muchacho que subía a la torre de la iglesia
> para mirar más de cerca la luna, y su novia lo despidió.
> NOVIA: ¡Hizo bien!
> CRIADA: Decía que veía en la luna el retrato de su novia.

39 *sufría:* participación del universo doméstico en la enfermedad amorosa de Amnón. También en la Biblia y en la tradición literaria, Amnón se
acuesta por enfermo.

40 *alas:* la seducción del desnudo de Thamar fue en el agudo alero
(v. 17) y el hermano siguió viendo los pechos «durísimos». En *Reyerta* las
alas de los ángeles son «navajas» (vv. 15-16) y en *Teoría y juego del duende*
Lorca habla de «alas de acero».

41 *la luz maciza:* la intensa luz (v. 37) aumenta aún la blancura de los
pueblos como sepultura.

45 *linfa:* cultismo para agua.

48 *la cobra:* la serpiente mítica de esta historia de seducción estaba ya
presente en los vv. 12-13 de la versión de los manuscritos autógrafos publicados por R. Martínez Nadal.

Yedra del escalofrío
cubre su carne quemada.
Thamar entró silenciosa
en la alcoba silenciada,
55   color de vena y Danubio
turbia de huellas lejanas.
Thamar, bórrame los ojos
con tu fija madrugada.
Mis hilos de sangre tejen
60   volantes sobre tu falda.
Déjame tranquila, hermano.
Son tus besos en mi espalda,
avispas y vientecillos
en doble enjambre de flautas.
65   Thamar, en tus pechos altos

---

55   *Danubio:* azul.

58   *fija madrugada:* constante frescura de mañana y rocío.

59   *hilos de sangre:* las venas del cuerpo de Amnón contra la falda blanca de Thamar.

64   *doble enjambre de flautas:* verso correlativo con el anterior: «avispas y vientecillos».

65-66   *pechos - peces:* el nexo metafórico es la luna (ver v. 35: «la luna los pechos»). Para la conexión entre luna y pez se pueden aducir varios textos de Lorca. Una primera relación es simplemente de reflejo, por ejemplo, en *Mariana Pineda* (estampa I):

> ... temblor de luna sobre una pecera
> donde un pez de plata finge rojo sueño.

Un texto contemporáneo del romance: la *Soledad insegura,* de 1926, en que la relación erótica se manifiesta:

> Pez mudo por el agua de ancho ruido,
> lascivo se bañaba en el temblante,
> luminoso marfil, recién cortado
> al cuerno adolescente de la luna.

También en *Vals en las ramas,* de *Poeta en Nueva York:* «Por la luna nadaba un pez», pero sobre todo en el diálogo entre la Figura de Cascabel y la Figura de Pámpano (ver v. 22: «pámpanos y peces») de *El Público (Ruina romana),* en que se habla de la metamorfosis en «pez luna», las alusiones de tipo erótico y sexual son constantes y evidentes.

hay dos peces que me llaman
y en las yemas de tus dedos
rumor de rosa encerrada.

*

Los cien caballos del rey
70 en el patio relinchaban.
Sol en cubos resistía
la delgadez de la parra.
Ya la coge del cabello,
ya la camisa le rasga.
75 Corales tibios dibujan
arroyos en rubio mapa.

*

¡Oh, qué gritos se sentían
por encima de las casas!

---

68   *rosa encerrada:* otro ejemplo de la sexualidad floral. Cfr. el v. 88 «su
flor martirizada»: la desfloración. También *Preciosa y el aire,* v. 28 y la nota,
y *Lucía Martínez,* de *Canciones.*

69   *los caballos:* símbolo de la agresividad erótica y tanática. Ver también *Yerma,* acto I, cuadro II: «¿Quién puede decir que este cuerpo que tienes
no es hermoso? Pisas, y al fondo de la calle relincha el caballo».

71   *sol en cubos:* metafórica visión de la intensa luz contra las formas y
líneas de un pueblo blanco (cfr. vv. 41-42). También los vv. 35-36 de *Muerto
de amor.*

73-74 *ya... ya:* fórmula épica clásica para subrayar el momento del crimen.

75-76   Esta cruda visión geofísica del incesto hace más inteligible a pos-
teriori el v. 44, «coral de rosas y dalias». Se observa también el paralelismo
de construcción entre los vv. 41-44 y 71-77:

> luz intensa sobre los pueblos - sol en cubos
> coral transitorio - corales tibios en mapa

Para «arroyos» ver el v. 27: «llenas las ingles de espuma».

77-78   hay que leer estos versos en contraste con los vv. 5-6: los gritos de
horror después de los sonidos del arpa.

Qué espesura de puñales
80 y túnicas desgarradas.
Por las escaleras tristes
esclavos suben y bajan.
Émbolos y muslos juegan
bajo las nubes paradas.
85 Alrededor de Thamar
gritan vírgenes gitanas
y otras recogen las gotas
de su flor martirizada.
Paños blancos, enrojecen
90 en las alcobas cerradas.
Rumores de tibia aurora
pámpanos y peces cambian.

*

Violador enfurecido,
Amnón huye con su jaca.
95 Negros le dirigen flechas
en los muros y atalayas.

---

80 *túnicas desgarradas:* típica actitud de reprobación frente al ignominioso crimen.

83 *émbolos y muslos:* metafóricas indicaciones de los órganos sexuales masculinos y femeninos. El universo imita y pluraliza.

86 *vírgenes gitanas:* «Este poema es gitano-judío...», dijo Lorca en su conferencia. Varias variantes del romance de Altamar colocan la historia del incesto en España y en Andalucía.

87-88 Rito tradicional de una boda de gitanos.

A partir de aquí la narración es pura invención lorquiana. No corresponde ni al texto bíblico ni a la tradición culta ni popular.

Y cuando los cuatro cascos
eran cuatro resonancias,
David con unas tijeras
100   cortó las cuerdas del arpa.

---

97   *cuatro cascos:* el impacto emocional del ruido de las patas del caballo (ver también *Romance de la luna, luna,* vv. 21-22), se lee en *Zorongo,* de
los *Cantares populares:*

> los cascos de tu caballo
> cuatro sollozos de plata.

Y en *Mariana Pineda,* estampa III, escena IV:

> ... Y aunque tu caballo pone
> cuatro lunas en las piedras
> y fuego en la brisa verde...
> ¡corre más!...

100   el gesto, invención de Lorca, con incluir una réplica a los vv. 5-6, no
sólo concluye de manera dramática y épica este último romance del ciclo
histórico, sino todo el *Romancero gitano.* Un análogo efecto de violenta ruptura se halla en *Muerte de la petenera* (del *Poema del cante jondo):*

> ... y el bordón de una guitarra
> se rompe.

o en la conversación entre Rosita y el Primo *(Doña Rosita la soltera,* acto I):

> ¡... rompes con tu cruel ausencia
> las cuerdas de mi laúd!

También en *Bodas de sangre,* para sugerir la muerte (acto III, cuadro I):
«Se oyen los dos violines. Bruscamente se oyen dos largos gritos desgarra-
dos y se corta la música de los violines». La funesta función de las tijeras se
ilustra también en *Conjuro,* del *Poema del cante jondo,* y, sobre todo, en la
escena final de *Así que pasen cinco años,* donde el Jugador 1.º «con unas tijeras, da unos cortes en el aire».

AUSTRAL SINGULAR reúne las obras más emblemáticas de la literatura universal en edición única.

TÍTULOS DE LA COLECCIÓN:

AUSTRAL

www.australeditorial.com

www.planetadelibros.com